Entre voisins...

Les Éditions Pierre Tisseyre remercient le Conseil des Arts du Canada du soutien accordé à son programme d'édition dans le cadre du programme des subventions globales aux éditeurs, ainsi que la SODEC et le ministère du Patrimoine du Canada.

http://ed.tisseyre.qc.ca
E. mail: info@éd.tisseyre.qc.ca

Dépôt légal: 1er trimestre 1997
Bibliothèque nationale du Canada
Bibliothèque nationale du Québec

Données de catalogage avant publication (Canada)

Collectif

Entre voisins…

(Collection Conquêtes; 63)
Pour les jeunes.

ISBN 2-89051-640-7

1.Histoires pour enfants canadiennes-françaises - Québec (province). I. AEQJ Collectif. II. Collection.

PS8329.5.Q4E46 1997 jC843'.0108054 C96-941538-9
PS9329.5.Q4E46 1997
PZ21.E46 1997

Illustration de la couverture:
Danielle Simard

3 4 5 6 7 8 9 IML 0 9 8 7 6 5 4 3 2

ISBN-2-89051-640-7
10855

Entre voisins...

collectif

ÉDITIONS PIERRE TISSEYRE
5757, rue Cypihot — Saint-Laurent (Québec) H4S 1R3

Lettre à nos lecteurs

L'Association des écrivains québécois pour la jeunesse, qui regroupe un bon nombre de vos auteurs préférés, a réuni pour vous de très jolies nouvelles, toutes différentes les unes des autres. En lisant *Entre voisins*, vous y rencontrerez des voisins sympathiques ou malicieux, drôles ou sérieux, bizarres ou... monstrueux.

Vous rirez souvent, vous pleurerez peut-être parfois. Indifférents, vous ne le serez jamais.

Les auteurs de ces nouvelles sont tous des écrivains qui ont l'habitude d'écrire des livres pour la jeunesse. Vous les avez peut-être déjà rencontrés à votre école, dans votre bibliothèque ou dans un Salon du livre. Vous avez sans doute déjà eu l'occasion de les lire. La vente de ce livre servira à financer le prix Cécile Gagnon.

Cécile Gagnon, que tous connaissent, est une auteure qui écrit pour les enfants depuis... de nombreuses années. Elle fait partie des pionniers qui ont créé la littérature pour la jeunesse francophone du Canada. Alors, nous avons décidé de lancer le prix Cécile Gagnon pour la rermercier et l'honorer.

C'est aussi elle qui a eu l'idée de regrouper les écrivains pour la jeunesse en association afin qu'ensuite, nous puissions travailler tous ensemble pour vous offrir une littérature encore meilleure. Parce que les écrivains pour la jeunesse aiment profondément les enfants.

Donc, le prix Cécile Gagnon sera remis, chaque année, à un écrivain ou à une écrivaine qui aura publié son premier livre pour la jeunesse et qui aura été jugé plus intéressant que les autres par les membres d'un jury.

L'Association des écrivains québécois pour la jeunesse et les Éditions Pierre Tisseyre vous souhaitent une très bonne lecture parce que, pour nous tous, vous êtes les personnes les plus importantes.

Francine Allard
présidente de l'AEQJ
et conceptrice du prix Cécile Gagnon

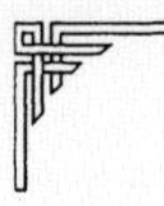

FRANCINE ALLARD

Un déménageur sans empreintes

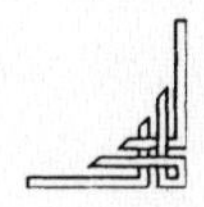

Dehors, c'était la plus grosse tempête du siècle. Il neigeait comme au pôle Nord et personne n'avait osé s'aventurer dans la rue Marquette où j'habite. Même le dépanneur de M. Wong affichait «closed». Les arbres ployaient sous l'amas de givre et se plaignaient en gémissant. C'est te dire comme c'était froid. Mme Saucisse (celle qui passe son temps à faire du boudin) n'avait pas été capable de faire sortir Duplessis, son persan bleu agressif. Un chat tellement de race qu'il ne miaulait devant aucun chat de ruelle.

Ce jour-là, il restait pelotonné sous la petite veilleuse, sur le rebord de la fenêtre d'où je pouvais l'apercevoir. Je me sentais bien chez moi. J'achevais un roman fantastique pour mon éditeur qui me téléphonait tous les soirs.

— Ça vient ce chef-d'œuvre? me demandait-il en roucoulant.

— Ce sera pour vendredi, sans faute! lui affirmais-je en me mordant la lèvre du bas comme je le fais toujours lorsque je mens.

Comme d'habitude, je déposais le combiné en riant un peu. Je retournais m'installer devant mon Mac et je buvais ma tisane au citron à deux mains pour me réchauffer. Je n'avais pas besoin de régler le thermostat: j'habite au troisième et je suis chauffée par les voisins d'en dessous et ceux d'à côté. Mais voilà, le logement d'à côté était inoccupé depuis six mois. Et une petite brise (de point cinq à l'échelle de Beaufort) s'infiltrait entre les joints du lambris abîmé. J'avais jeté sur mes épaules un vieux lainage et j'imaginais, en fermant les yeux, qu'un feu brûlait dans l'âtre comme dans les vieux films français où tous les écrivains possèdent un lainage et un foyer crépitant.

C'est à ce moment exact que ma vie a été complètement bouleversée.

J'entendis un vacarme inexplicable dans le logement vide jouxtant le mien: le ahanement (du verbe ahaner) d'un homme, suivi d'un bruit assourdissant. Puis, celui du métal qui grince et d'une porte qui claque avec vigueur.

La surprise passée, je quittai l'écran de mon Mac pour me rendre à la porte d'entrée. Quelque chose de terrible se passait dans la pièce voisine. Pour plus de sûreté, je saisis mon vieux cor anglais, prête à attaquer si la nécessité s'imposait. Je n'avais jamais frappé personne mais j'étais prête cette fois. Les squatters ne seraient pas les bienvenus, car j'avais appris de mon propriétaire, M. Kravitz, qu'ils allumaient parfois des feux de camp en plein milieu du salon entre deux joints («entre deux joints, il faut bien faire quelque chose...»).

J'avais très peur lorsque je sortis sur le balcon enneigé. Malgré le froid cuisant, je n'avais aux pieds que de petits escarpins de cuir usé, rien d'autre sur le dos que mon lainage, et je ne sentais pas le froid tant la curiosité m'habitait.

Ce que je vis à ce moment-là va te sembler tiré du meilleur Sernine: un jeune homme d'environ quinze ans montait l'escalier en colimaçon, transportant, comme s'il fut aussi léger qu'un oreiller, un fauteuil de cuir rouge. Aucune buée blanche n'exhalait de sa bouche même s'il faisait un froid à faire éclater le fer forgé de la rampe.

J'observai. Le jeune homme redescendit l'escalier, puis remonta avec une commode en pin que je jugeai provenir du siècle dernier. Parfaitement conservé, ce meuble antique était magnifique, avec son fronton ouvragé et ses portes sculptées en pointes de diamant. Fixant toujours le deuxième escalier intérieur qui le mènerait au troisième, l'étrange garçon me lança:

— Je m'appelle Majorique Lapierre. Je reviens chez nous!

Je faillis enchaîner avec « Mets du feu dans la cheminée», mais j'étais tenue dans une profonde angoisse alimentée par l'incrédulité. Comment expliquer que ce jeune homme pouvait grimper là-haut d'aussi gros meubles, seul, sans l'ombre d'un effort?

La neige redoublait et la froidure traversait maintenant ma petite robe de lin et mon châle. Je pris mon courage à une ou deux mains, ce détail étant sans importance, et je pénétrai dans le vestibule du nouveau locataire. Dès qu'il redescendit, je ne pus m'empêcher de lui glisser:

— D'où viens-tu?

— J'habitais sur Côte-des-Neiges près de l'Université de Montréal. Mais, là-bas, les gens sont plutôt froids et je n'en pouvais plus de cette vie ennuyante. Ici au moins, je connais bien l'endroit.

— Est-ce que M. Kravitz sait que tu es là? lui demandai-je avec inquiétude.

Au lieu de répondre à ma question, Majorique Lapierre descendit à nouveau le grand escalier. De mon côté, l'horreur était à son paroxysme. Je venais de poser les yeux sur les marches de l'escalier: elles étaient gonflées de neige blanche comme des pains de ménage, bien lisses et... sans empreintes de pas!

Pas une seule trace laissée par des pieds alourdis par le poids d'une armoire en pin de cinquante kilos!

Sans attendre d'explication, je me précipitai dans mon logement en grimpant les marches deux à deux, oubliant même de respirer pour ne pas montrer ma crainte.

Je téléphonai immédiatement à Joël, mon ami poète, afin de lui expliquer ce qui se passait rue Marquette.

— Ça ne va pas dans la tête? demanda-t-il en premier lieu.

— Arrête Joël! Tu m'as déjà promis que tu me prendrais toujours au sérieux quoi qu'il arrive!

— Ça va! Donc, tu dis que Majorique Lapierre a transporté tous ses meubles jusqu'au troisième étage sans l'aide de déménageurs et sans laisser de traces sur les marches enneigées? Mais, Francine, on voit ça tous les jours!

— Tu peux venir? lui susurrai-je, sachant qu'il ne pouvait pas résister aux caresses de l'ouïe.

— Je termine d'écouter *Elvis Gratton* et j'arrive, mon chou!

— Pas trop long? arrivai-je à ajouter entre deux gorgées de tisane refroidie.

— Un quart d'heure, mon chou.

Puis, le poète raccrocha.

Je me mis à avoir chaud tout à coup. Ma respiration s'emballa et je dus appliquer des linges frais sur mon front. Devais-je téléphoner au 9-1-1?

Le silence qui régnait me clouait sur mon fauteuil. Un tel silence que je pouvais percevoir chaque flocon de neige sur la vitre comme autant d'intrus voulant pénétrer chez moi, que je pouvais imaginer que les branches de l'orme qui s'agitaient dehors devenaient de longues mains noires qui cherchaient à m'attraper en gémissant. Que Duplessis, dans la fenêtre de Mme Saucisse, savait ce qui se passait en me fixant étrangement.

Il me semblait même l'entendre rigoler parfois.

Dans le logement de Majorique Lapierre, aucun bruit de pas. Aucune toux qui indiquerait la présence du nouveau locataire. Par la fenêtre de mon balcon, je ne vis rien en bas ni en haut de l'escalier. Cela me rassura presque. J'avais eu une hallucination. Ce devait être cette foutue tisane au citron. Joël lui-même était allergique aux tisanes, disait-il, leur préférant le café espresso.

Soudain, je faillis m'étaler sur le parquet, n'eussé-je été déjà assise. La porte de la cuisine s'ouvrit avec fracas. Dans un nuage de neige folle, je vis apparaître Majorique

Lapierre, me souriant malgré l'inquiétude qui baignait son joli visage imberbe. Je vins vers lui.

— C'est cette foutue cuisinière. J'essaie de l'allumer pour faire cuire des spaghettis, elle se met à tourner dans tous les sens en grondant. Pouvez-vous venir?

J'étais tout simplement pétrifiée, incapable de parler ou de réagir, me tenant à deux mains au chambranle de la porte.

— Allons, Francine! Vous êtes gentille, venez m'expliquer. Après, je ne vous dérangerai plus, promis! ajouta Majorique en faisant demi-tour vers la porte.

Je ne sais pas ce qui m'a pris, mais figure-toi que je l'ai suivi. J'ai suivi Majorique Lapierre jusque dans le logement d'à côté. Moi qui tremblais de peur.

Installée devant l'appareil électroménager en question, je me mis à rire comme une démente. Un rire tonitruant accompagné de larmes que l'on ne cache pas. Ça me faisait tant de bien. J'exorcisais ainsi ma très grande peur.

— Majorique! C'est pas une cuisinière. C'est... c'est une sécheuse à linge! Tu ne feras pas cuire de spaghettis là-dedans. Où as-tu pêché ça?

— Dans une vieille cabane près de chez moi... avoua le jeune homme.

Je le regardai dans les yeux. Je pouvais lire le dépit sur sa figure, mais aussi une très grande sympathie. Il était très beau de visage quoique son teint fût livide. Cet enfant se nourrissait mal, j'en étais persuadée.

— Alors, pas... de... spaghettis? glissa-t-il en regardant le bout de ses chaussures.

J'avais moins peur tout à coup. Je savais que Joël arriverait d'une minute à l'autre. Il était d'ailleurs en retard d'un quart d'heure. C'est alors que je m'entendis prononcer sans savoir pourquoi:

— Viens chez moi. Je vais te les faire cuire.

J'installai mon invité à la table du salon. Une table en chêne à deux abattants, garnie d'une jolie nappe de dentelle très ancienne.

— Table de l'île d'Orléans... mmm... 1807, se prononça Majorique Lapierre avec la certitude d'un spécialiste.

— Tu as une belle armoire en pin chez toi.

Il ne répondit rien. Il regardait partout. Comme je suis collectionneuse d'antiquités en tous genres, le garçon semblait s'intéresser au mobilier et aux objets, aux tableaux et aux vieux livres. Il allait et venait dans mon appartement comme sur un coussin d'air.

J'étais persuadée que je rêvais, n'eût été de l'odeur des pâtes qui collaient au fond du chaudron.

— Je les ai retirés à temps. Tu veux de la sauce sur tes spaghettis?

— Non, seulement du beurre et du sel, si vous voulez bien.

«Poli, ce jeune homme», me dis-je. Ou d'un autre siècle, me suggéra ma conscience. «De nos jours, les jeunes gens tutoient tout le monde, c'est bien connu», me dis-je encore.

Il ne fallait pas que je cesse de me parler à moi-même afin de rester accrochée à la réalité. Parce que j'étais persuadée que tout ce que je vivais était impossible. C'est tout droit du fantastique qu'étaient tirées ces inlassables minutes avant l'arrivée de Joël.

— Joël est en retard. C'est la tempête sans doute, marmonna Majorique en s'essuyant la bouche avec sa serviette.

Là, je restai muette de stupeur. Je ne lui avais pas parlé de Joël. C'eût été avouer ma peur si je lui avais raconté avoir appelé au secours.

— Com... comment connais-tu...

— Joël est votre meilleur copain. Il doit être très gentil parce que vous êtes exigeante dans vos amitiés, je l'ai lu dans votre livre *Mémoires délinquantes*.

Je n'en revenais pas. Majorique savait que j'étais écrivaine. Majorique Lapierre avait lu mes fameuses mémoires qui avaient fait scandale en 1987. Je me rendis à l'armoire vitrée et je me versai une rasade de porto. Mon invité en voulut aussi.

— Tu n'as pas l'âge...

— Ah! ma mère est morte depuis deux siècles, elle ne dira rien.

Puis il se mit à rire comme lorsque l'on chatouille un enfant. Je lui versai un verre de porto qu'il dégusta en bon œnophile, les yeux fermés, faisant passer, à travers le liquide sirupeux, une colonne d'air dans sa bouche entrouverte pour mieux en saisir les subtilités.

— Il n'est pas mal. Un peu jeune toutefois.

— Merci bien! C'est un 1957, tout ce qu'il y a de meilleur! rétorquai-je.

— Je disais ça...

Puis, Majorique tourna le bouton de la radio. Une musique enlevante se mit à faire trembler les murs. Du Santana, mon préféré.

— Qu'est-ce que c'est que cet enfer? me cria Majorique en se bouchant les oreilles. Vous n'avez pas de Mozart? J'aime bien.

J'avais justement du Mozart. *Concerto pour clavier et orchestre en si bémol majeur*. Majorique ferma les yeux doucement en pianotant généreusement sur la crédence.

Tout était calme dans la maison. Mais, je n'étais pas pleinement rassurée quant à cet étrange jeune homme qui entendait les conversations à travers les murs. Qui devinait mes états d'âme. Qui connaissait les meubles anciens. Qui ne savait pas ce qu'était une sécheuse à linge. Qui aimait Mozart sans toutefois apprécier la musique de Santana. Qui marchait SANS LAISSER D'EMPREINTES SUR LA NEIGE.

À ces pensées, un long frisson monta le long de mon échine et vint exploser dans ma tête. Que faisait donc Joël? J'aurais voulu sortir en courant et me réfugier chez un voisin, n'importe lequel.

— Pourquoi avez-vous peur de moi? demanda calmement Majorique.

Sa question me laissa pantoise. J'arrivai cependant à bafouiller:

— Euh... je... ne sais... trop... pourquoi... C'est si étrange tout ça.

— Vous vous demandez si j'existe vraiment, n'est-ce pas?

Au lieu de répondre, je suis certaine que je n'ai fait que penser dans ma tête:

« Tu n'es qu'un fantôme, Majorique Lapierre. Tu n'existes que dans mon imagination de créatrice. On ne peut pas marcher sans laisser de traces. C'est impossible!»

Et pourtant, le jeune homme m'a entendue.

— Je suis un fantôme. C'est le premier que vous rencontrez?

— Ouais, répondis-je platement.

« Joël, qu'est-ce que tu fais, bon Dieu!»

— Heureusement que vous êtes tombée sur moi. Il y en a de plus terribles qui ne mangent pas que des spaghettis.

Que voulait-il signifier par là?

— Raconte! lui demandai-je.

Majorique prit place sur mon futon. Il plia sa jambe maigre par-dessus l'autre. La terreur me rendait tout ce qu'il y a de plus attentive.

Le jeune homme commença son récit. Il m'expliqua que les morts vivent parmi les leurs tant que quelqu'un pense à eux tous les jours. Et que parfois, certains fantômes revenaient là où une photo ou un dessin, les représentant, traînait quelque part.

Il m'apprit que les statues avaient été inventées pour immortaliser certains grands personnages.

Pendant tout son récit, je sentis ma poitrine se détendre et mon angoisse se disperser. Majorique avait une voix mélodieuse.

— Je vous ai choisie, Francine, parce que vous croyez à l'imaginaire. Que vous avez conservé votre candeur. Que vous faites rêver les enfants et cela me plaît terriblement. Vous êtes en quelque sorte une sorcière aux bonnes intentions. Les écrivains qui réinventent la réalité sont mes préférés. J'habite désormais près de vous. Pour que vous n'oubliiez jamais le besoin de rêver des enfants.

J'étais estomaquée. Complètement ahurie. Je ne voyais plus que la neige qui tombait comme un rideau de dentelle devant la fenêtre. Je sirotais mon porto en fixant ce jeune homme si... si... merveilleux.

Tout à coup, je bondis. La porte s'ouvrit et je me précipitai à la rencontre de Joël.

— Excuse-moi...

— Joël, il faut que je te présente mon nouveau voisin... Il est, comment dirais-je, fantastique. Viens vite! Il est au salon.

Sans avoir le temps d'expliquer son retard, Joël s'avança dans la pièce sombre où Mozart explosait dans un mouvement largo.

Lorsque je me retournai vers Majorique, mon vaste sourire retomba aussitôt.

Majorique Lapierre avait disparu. Pfffuit! Je cherchai dans toutes les pièces et me rendis sur le balcon arrière puis sur celui d'en avant. Pas même une trace de mon fantôme. Joël, quant à lui, resta les bras croisés dans un scepticisme éhonté.

— Quoi? Tu ne me crois pas?

Je tirai mon poète jusque dans le logement voisin. La porte n'était pas verrouillée.

— Tu vois? Il a laissé la porte ouverte, racontai-je vivement pour qu'il me croie. MA-JO-RI-QUE!

Personne ne répondit. Nous entrâmes tous les deux chez mon voisin. Pas d'armoire en pin, pas de fauteuil de cuir, pas de lit, pas de sécheuse à linge. Joël me chuchota:

— Tu vas bien, ma chérie?

— Joël Desrosiers! Tu ne vas pas me faire le coup de la folle qui a des hallucinations? J'ai vu ce garçon. Je lui ai fait des spaghettis. Tiens, viens voir!

À la cuisine, pas une trace de chaudron ou d'assiettes sales. Pas de trace non plus du verre de porto.

— Ah! c'est l'alcool, c'est ça, grommela Joël.

— Non, non, non... tu ne vas pas...

— Chut... couche-toi. Je vais rester jusqu'à demain. Ça ira mieux, mon poussin.

O

Lorsque l'été arriva enfin pour reverdir toute la nature, j'avais presque oublié les incidents de février. Joël m'avait emmenée chez une amie psychologue qui avait conclu à une très grande imagination de ma part. Je ne fus plus tentée par le porto et jetai à la poubelle tous mes disques de Mozart et de Santana. Et les spaghettis donc!

Joël ne me parla plus jamais de mon étrange et éphémère voisin. Je bouillais chaque fois qu'il essayait de m'en parler. L'incident était clos.

M. Kravitz vint chez moi, je m'en souviens, le 6 juilllet à quinze heures dix.

Il venait m'avertir qu'il avait loué l'appartement d'à côté à un professeur de philosophie qui avait deux chats: Socrate et Platon (qui d'autres?). Il me demanda d'ouvrir la porte au nouveau locataire et de l'accueillir lorsqu'il arriverait.

Vers quinze heures trente, le professeur Georges Leroux s'amena avec un camion bien rempli et quelques amis venus lui apporter leur aide.

Je descendis sur le balcon et lui offris une bonne poignée de main.

— Si vous avez besoin de quelque chose, n'hésitez pas à me téléphoner. Voici mon numéro, dis-je en lui tendant ma carte d'affaires.

Après trois heures de brouhaha, de bruit de meubles que l'on glisse sur le parquet, de ressorts qui grincent, de portes que l'on referme avec fracas, M. Leroux vint sonner à ma porte.

— J'ai trouvé ceci. C'était accroché au mur de la cuisine.

Le professeur me tendit un dessin jauni qui datait sûrement du début du siècle dernier. Cette fois, je manquai m'évanouir pour vrai. Le dessin était une encre de Chine et représentait nul autre que ce fantôme qui avait failli devenir mon voisin d'à côté.

Derrière le cadre orné de feuilles d'acanthe, il y avait ceci d'écrit:

MAJORIQUE LAPIERRE, pianiste de concert, né en 1799, mort en 1814 des suites d'une crise d'apoplexie. INHUMÉ AU CIMETIÈRE DE LA CÔTE-DES-NEIGES À MONTRÉAL.

Et en travers, de facture très récente, ces mots écrits à la main:

À FRANCINE ALLARD, mon écrivaine préférée.

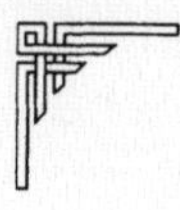

ODETTE BOURDON

L'énigmatique M. Allard

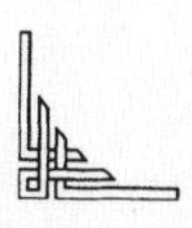
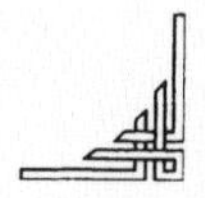

Le manège durait depuis exactement douze jours.

Tous les après-midi, mon voisin quittait son appartement à la même heure et revenait trois ou quatre heures plus tard, marchant plus lentement qu'à l'aller. Il s'appuyait sur sa canne comme il s'appuyait, il y avait à peine un an, sur la très belle Violette Allard. Mais l'automne dernier, sa chère épouse était subitement décédée. L'hiver et même le printemps n'avaient pas réussi à faire sortir le vieil homme de sa demeure. On le disait dépressif. Soixante ans de vie commune avec sa femme adorée ne pouvaient s'effacer comme ça.

J'avais treize ans à cette époque et ma meilleure amie s'appelait Mélanie.

Histoire d'occuper un été que nous devions passer en ville, nous avions décidé – pour nous amuser – d'épier le voisinage et de rédiger un petit journal où étaient dévoilés les résultats de notre «espionnage». Notre ruelle n'avait plus de secret pour nous. Nous pouvions dire à quelle heure M. Lefebvre sortait son sac à ordures et quel jour Mlle Marion lavait son automobile. Nous étions également au courant des préparatifs de vacances: la tente étalée dans la cour du jeune Melançon qui s'en allait camper avec des copains, les valises entassées dans la familiale des Joly qui partaient pour la Gaspésie et les serrures ajoutées aux portes de la maison de la veuve Martin. Évidemment nous étions au courant des repas cuits au barbecue. Les Beaudoin, par exemple, faisaient griller des saucisses presque tous les soirs. Rumeurs, va-et-vient chez les uns et les autres, visiteurs reçus, intrigues amoureuses, tout était bon pour notre feuille de chou que nous mettions en vente une fois la semaine. Mes parents et ceux de Mélanie étaient des acheteurs réguliers. Ils semblaient s'amuser de nos écrits même s'ils nous traitaient de «fouineuses».

o

Un jour, le 29 juillet, je m'en souviens très exactement, car c'était l'anniversaire de ma cousine Marie-Josée et de mon oncle Pierre, j'ai pris la décision avec Mélanie de suivre M. Allard.

Habituellement, mon voisin quittait son logis à treize heures précises. Le jour convenu, une demi-heure avant l'heure du départ, Mélanie et moi faisions semblant de rien, assises dans les marches de l'escalier. Nous avions avec nous nos éternels calepins noirs dans lesquels nous notions nos observations. Nous avions aussi des billets d'autobus et une bouteille d'eau. La mère de Mélanie avait même préparé un sac contenant du raisin vert et des cerises de France. Nous avions aussi apporté de l'argent au cas où nous en aurions besoin.

Nous attendions fébrilement la sortie de l'énigmatique voisin en feignant de jouer aux cartes.

Mélanie y allait fort sur les hypothèses:

— Je te dis qu'il a une amoureuse... À moins, qu'il en ait assez de la vie et veuille se suicider dans le métro... Peut-être qu'il fait partie d'un réseau de trafiquants...

Je tentais de la convaincre de moins fabuler:

— Il a aussi le droit de se balader juste pour son plaisir.

Mélanie levait les épaules et préférait indiscutablement un destin plus tragique.

À treize heures précises, la porte s'ouvrit. Victor Allard sortit de chez lui et referma tranquillement la porte de son logement sans oublier de la verrouiller. La rue devint tout à coup comme un plateau de cinéma.

Le voisin se rendit à l'arrêt d'autobus. En face de cet arrêt se trouvait un petit magasin tenu par des Vietnamiens. Des pots de fleurs décoraient la devanture. Ces fleurs nous servirent de prétexte pour attendre – sans en avoir l'air – l'autobus. Nous parlions abondamment de nos préférences florales afin de ne pas éveiller les soupçons de celui qui faisait l'objet de notre filature.

Quand l'autobus arriva, notre vieux monsieur y monta. Assises à l'arrière de l'autobus, nous avons pu l'observer. Il avait choisi un siège près d'une fenêtre. Il regardait dehors. À un moment donné, il se leva pour aller jaser avec le conducteur d'autobus. Cela dura quelques instants seulement. Puis, M. Allard prit place sur la grande banquette à la droite du chauffeur.

À la station de métro, notre homme descendit. Nous l'avons suivi discrètement. Vingt minutes plus tard, nous nous retrouvions à la station Square-Victoria. Marchant plus vite que celui que nous suivions, nous avons ralenti le pas et pris le temps d'examiner la statue de la reine Victoria juste à côté de la station de métro. Mélanie connaissait mieux que moi cette partie de la ville.

— Nous sommes dans le Vieux-Montréal... J'y viens souvent avec mes parents.

Cela me rassura.

Rue Saint-Pierre, Victor Allard bifurqua. Les rues étroites nous fascinaient. On aurait dit un décor de cinéma installé là juste pour nous. Une galerie d'art attira notre attention, car de très grands tableaux y étaient exposés. Puis, suivant toujours M. Allard, nous avons débouché sur une place étrange. Mélanie lut sur le panonceau: «Place D'Youville».

M. Allard poursuivit son chemin rue Saint-Pierre, puis disparut. Vite, nous le rejoignîmes. Il était entré au 118, là où une plaque indiquait: «Musée Marc-Aurèle Fortin».

Par la porte, nous avons vu M. Allard saluer une dame à qui il remit de l'argent. Elle semblait le connaître, car elle lui fit un grand sourire.

— Il faut que nous entrions. C'est un musée... c'est pas dangereux.

Mélanie était d'accord. Nous avons déboursé quelques dollars et avons pu ainsi suivre à la trace ce personnage qui nous intriguait tant.

Nous l'avons trouvé assis devant un tableau représentant une maison de campagne avec de grands arbres. Jouant aux visiteuses, nous sommes entrées dans une autre salle que quittait un groupe de touristes.

Dissimulées près de l'embrasure, nous examinions M. Allard.

Immobile devant son tableau, il semblait inanimé.

— Il est peut-être mort...

La panique s'empara de Mélanie. Sans m'avertir, elle courut vers le comptoir et s'époumona.

— Madame, madame, venez vite. Je pense que le vieux monsieur est mort.

La dame, énervée, accourut.

— Monsieur... Monsieur Allard... Ça va?

Le pauvre homme qui s'était assoupi fut tout surpris de l'animation autour de lui.

— Quoi? Où suis-je?

La préposée à l'accueil poussa un soupir de soulagement et lui adressa un grand sourire, tout en lui donnant une tape amicale sur l'épaule.

— C'est bien ce que je croyais. Vous vous êtes un peu endormi... C'est cette demoiselle qui m'a fait peur... Elle vous croyait mort.

M. Allard sourit doucement puis rit de bon cœur.

— Mais je les reconnais. Vous êtes bien mes voisines?

— Heu!...

Notre perspicace voisin se leva bien droit et s'adressa à nous.

— Vous avez bien regardé ces tableaux, mesdemoiselles? Ils sont admirables. Vous avez sous les yeux l'œuvre d'un des plus grands peintres québécois.

Jouant au professeur, M. Allard nous fit visiter l'exposition. Ensuite il nous invita à prendre une boisson douce dans un restaurant tout près de là.

En passant devant l'ancienne caserne de pompiers transformée en Centre d'histoire de Montréal, il nous lança cette question:

— Saviez-vous que cette caserne a été la première de Montréal et que, sous elle, coule une rivière?

Je ne savais pas s'il disait vrai. Plus tard, j'ai su que oui. Mais je prévoyais déjà une prochaine sortie pour visiter cet endroit.

Attablées au restaurant, nous avons bavardé avec Victor Allard. Il avait bien deviné ce qui nous intriguait à son sujet.

— Vous êtes de fines observatrices. Oui, je viens ici tous les jours.

Il s'arrêta de parler et avala une gorgée de café.

— C'est parce que ma vue décline. Mon médecin m'a appris que je vais devenir aveugle. Alors, j'ai décidé de n'emmagasiner dans ma mémoire que de belles images. Le matin, je feuillette mes albums de photos. En fermant les yeux, je «vois» très bien ma chère Violette. Vous vous souvenez de ma femme?

Émues, nous fîmes signe que oui.

— Et l'après-midi, je me remplis les yeux des tableaux du peintre Marc-Aurèle Fortin. Je photographie ces beaux tableaux dans mon esprit pour ne pas oublier... pour conserver à jamais de beaux paysages dans ma mémoire.

Deux grosses larmes perlèrent sur ses joues. Il sortit son mouchoir.

— Ne vous en faites pas. Les vieux, ça pleure souvent.

Au cours des minutes qui suivirent, nous apprîmes que ce vieux monsieur était âgé de quatre-vingt-un ans. Il avait enseigné toute sa vie. Quand sa femme vivait, elle lui reprochait parfois de passer tout son temps le nez dans les bouquins sans jamais regarder la nature.

— Elle me disait souvent: «Victor, regarde le bel oiseau...» Moi, je préférais mes lectures. Il faut dire que je m'inventais mes propres images... Mais, des fois, je regrette un peu de ne pas avoir observé davantage la vie autour de moi... et de ne pas avoir regardé davantage ma Violette...

Ce soir-là, Marie-Josée et mon oncle Pierre me trouvèrent bien sérieuse pour un soir d'anniversaire. C'est que j'avais fait une rencontre troublante. Je ne pouvais m'empêcher de penser à mon voisin d'à côté qui était seul et qui savait qu'il allait devenir aveugle.

O

À partir de ce jour, les autres voisins me laissèrent indifférente et, surtout, me parurent bien insignifiants. Que m'importaient désormais les cavaliers de Mlle Bilodeau ou la lessive grise de M. Bourbonnais, le chien débile de la grosse Juliette ou les livraisons de pizza chez les Walker? Je n'aurais pas trop du reste de l'été pour devenir, avec Mélanie, une amie de M. Allard.

Un après-midi, alors que Mélanie et moi devions l'accompagner au musée, mes appels et la sonnerie de sa porte restèrent sans réponse. Victor Allard était allé rejoindre sa chère Violette.

Le policier qui entra dans la maison le trouva assis dans un fauteuil, un album de photos sur les genoux, mort.

Depuis ce jour je fréquente assidûment le petit musée Marc-Aurèle Fortin. Et quand je m'assois devant un certain tableau, je vous jure que je ne suis pas seule.

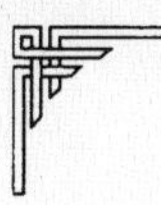

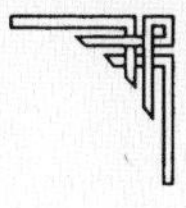

YANIK COMEAU

Les phases de la lune

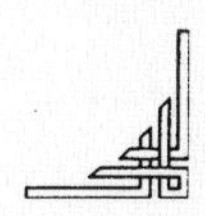

À ma sœur Tanya,
pour son cœur grand comme le soleil

Depuis presque un mois, je n'arrive plus à dormir la nuit. Heureusement que c'est l'été et que je ne dois pas me lever tôt pour me rendre à l'école. Je suis complètement épuisée, mais mes parents ne semblent pas trop s'en faire. Il faut dire qu'ils sont habitués à me voir passer des nuits blanches à regarder les étoiles, les planètes et les constellations, moi qui suis une fanatique d'astronomie. Et depuis qu'ils m'ont acheté ce télescope ultrapuissant pour mon anniversaire à la fin de mai, je suis devenue aussi passionnée que Galilée lui-même!

Mais ce ne sont pas les astres qui m'empêchent de dormir depuis le 1er juillet dernier, jour de la pleine lune. Ce soir-là, j'ai vu mon nouveau voisin pour la première fois. Toute la journée, j'avais regardé ses parents, accompagnés de trois gros déménageurs à moustache, entrer et sortir de la maison d'à côté. Ce bungalow coquet était inoccupé depuis près de six mois à la suite du décès de Mme Appleton qui s'était laissée mourir quelques semaines après la mort de son vieux.

Je croyais que Mme et M. Maeterlinck, les nouveaux propriétaires, n'avaient pas d'enfants puisqu'ils avaient fait tout le travail avec leurs trois gorilles. Ma mère, qui était pourtant toujours au parfum des potins et des rumeurs qui courent dans le quartier, a été aussi surprise que moi. Son amie, Édith Boltanski, l'agent d'immeubles qui a vendu la maison aux Maeterlinck, ne lui avait jamais mentionné qu'ils avaient un fils de mon âge.

La chambre du fils Maeterlinck donne directement sur la mienne. Il a même installé son bureau de travail sous la fenêtre, sans doute pour profiter de la lumière du jour ou de celle de la lune lorsqu'il s'installe pour écrire. Et il semble écrire souvent si je me fie au nombre de fois où je l'ai vu, assis là, depuis qu'il a emménagé.

1er juillet, 22 h 22

J'allume la lumière de ma chambre. Mon voisin éteint la sienne. Je ne vois plus que sa silhouette, assise à son bureau, immobile. Que fait-il là, dans la noirceur la plus profonde? Il m'observe. Je le sens. Ma curiosité est piquée, mais l'éclairage de ma chambre et l'obscurité de la sienne m'empêchent de l'épier à mon tour. Je ne sais pas si je devrais être agacée par ses yeux scrutateurs sur moi. Habituellement, je n'apprécie pas que des garçons me regardent plus que quelques secondes. Pourtant, tout en étant troublée par cette situation étrange, je suis forcée d'avouer que je suis agréablement tourmentée. Nonchalamment, j'éteins la lumière et j'oriente mon télescope vers le ciel, feignant d'observer la pleine lune qui, seule, me permet de voir l'ombre du curieux.

Soudain, la chambre de mon voisin s'illumine. Quelques secondes plus tard, il apparaît à la fenêtre, s'affairant à ranger des livres sur son bureau. Je le vois clairement pour la première fois. Il semble grand pour ses seize ans. Son teint est parfait et il porte ses cheveux blond châtain aux épaules. Jamais un garçon ne m'a fait un tel effet. Il est beau comme un dieu. Sans prévenir et sans regarder dans ma direction, il croise les bras sur son ventre et retire son t-shirt du Festival de Jazz de Montréal. Sait-il que j'observe ardemment son torse de nageur accompli? Il allonge ses bras et tire les rideaux. Ouf! Ai-je rêvé?

2 juillet, 7 h 07

Le soleil s'est levé depuis déjà un moment et le chant des oiseaux m'a réveillée. Je n'ai dormi que quelques heures, bouleversée par la présence de mon nouveau voisin qui doit dormir profondément à des mètres de moi.

Je ne peux résister à l'envie d'aller voir à la fenêtre. Les rideaux empêchent toujours mon regard d'entrer chez cet Adonis troublant. Cependant, dans le coin inférieur droit de la vitre, je remarque un papier blanc sans pouvoir discerner ce qui y est écrit. Mon cœur sursaute et je déplace rapidement le trépied de mon télescope pour diriger l'objectif sur cette note mystérieuse.

Je n'en crois pas mes yeux. Sur le papier, un seul mot, NICOLAS, en lettres majuscules. Inconsciemment, je recule de deux pas et je me frotte les yeux avant de revenir à la lunette pour observer de nouveau. «C'est son nom, ça ne fait pas de doute», me dis-je en fixant toujours le billet. Mais est-ce que ce «message» m'est destiné?

Quelques secondes plus tard, du coin de l'œil, j'aperçois mon nouveau voisin dans son entrée, près de la voiture de ses parents. Il est tourné vers ma fenêtre et sourit. Rapidement, je recule pour sortir de son champ de vision. Qu'est-ce qui m'arrive? Suis-je en train de devenir folle? Me voilà figée au milieu de ma chambre, incapable de bouger d'un centimètre. J'entends ensuite deux portières se refermer et j'ai à peine le temps de m'approcher de la fenêtre pour voir la voiture de mes voisins disparaître au bout de la rue. Idiote!

2 juillet, 21 h 12

Enfin le soir, mais Nicolas n'est toujours pas revenu. J'espère qu'il n'est pas parti pour la nuit ou, pire, qu'il ne reviendra pas de la semaine.

Ce matin, j'ai préparé un billet semblable au sien sur lequel j'ai écrit simplement CAMILLE en lettres majuscules. Je l'avais collé dans le coin inférieur gauche de ma fenêtre mais, quelques minutes plus tard, en entendant la tondeuse de mon père vrombir entre les deux maisons, je l'ai retiré vivement.

Maintenant qu'il fait noir, je peux le replacer. À quelques jours de sa phase gibbeuse, la lune luit encore avec force. J'espère que Nicolas distinguera bien les lettres, même s'il n'a pas de télescope. Je les ai tracées un peu plus grosses que les siennes, mais je ne pouvais quand même pas faire une affiche! Dans sa chambre, les rideaux sont toujours fermés et il n'y a pas de... oh! attention.

Mon cœur cesse de battre un instant. Je perçois une petite lueur derrière ses rideaux. Vite, je m'accroupis sous le cadre de ma fenêtre pour observer mon voisin sans être remarquée. Zut! Sa lumière s'éteint. Que fait-il? Ah! Ça y est! J'observe une mince ouverture qui se dessine au centre de la fenêtre. Pas de doute. C'est lui. D'un rapide coup d'œil, je constate que la voiture de sa mère est garée dans l'entrée. Mon estomac fait deux tours et des papillons fous s'y installent, virevoltant sans répit. L'anticipation et le mystère de ce petit jeu me plongent dans une folie douce qui n'est pas désagréable.

Il tente de lire le papier que j'ai collé à la fenêtre, c'est sûr. Les secondes qui suivent me paraissent interminables. Les rideaux de la chambre de Nicolas semblent figés dans le vide comme s'ils défiaient la gravité. Je ne vois pas les doigts de mon voisin, mais je devine qu'il doit bien tenir les rideaux pour qu'ils demeurent ainsi.

Après un moment, la minuscule ligne noire que je distinguais entre les deux longs tissus bigarrés s'estompe et disparaît. Que fait-il donc? Pourquoi a-t-il refermé les rideaux? Me trouve-t-il ridicule? N'est-ce pas lui qui a commencé ce petit manège?

L'attente est insupportable. Dans cette position inconfortable, je sens les muscles de mes cuisses et de mes mollets se contracter. La tension est insoutenable et je me sens bête, mais je n'arrive pas à me tirer de cette pose désagréable. Mes parents m'ont toujours dit que j'étais trop curieuse aussi!

Soudain, derrière les rideaux de Nicolas, je vois la lumière de sa chambre qui clignote trois fois. Spontanément, je me positionne à quatre pattes et je rampe à toute vitesse jusqu'à ma porte de chambre, faisant fi de la douleur qui envahit mes genoux. Arrivée à destination, j'ouvre la porte et je me relève hâtivement avant d'allumer la lumière. Après avoir pris une grande respiration, je referme la porte et je fais comme si j'arrivais dans ma chambre. D'un air indifférent mais un peu trop appuyé, je m'étire, les mains jointes au-dessus de la tête, comme si j'allais dormir. Sans réfléchir, je tourne ensuite le dos à la fenêtre et je retire ma blouse comme Nicolas l'a fait avec son t-shirt la veille. «Es-tu tombée sur la tête? que je me dis. Qu'est-ce que tu vas faire maintenant?» Sans même savoir si Nicolas m'observe, je me penche vers l'avant et je prends la brosse qui repose sur mon lit. «Tu as commencé, alors tu n'as pas le choix. Continue!»

Pendant ce qui me paraît de longues minutes, je passe la brosse dans mes longs cheveux blonds, fixant l'affiche des Backstreet Boys que j'ai découpée dans *Le Lundi* et que j'ai posée sur mon mur. Heureusement que c'est seulement une affiche, parce qu'ils auraient droit à tout un spectacle, mes Backstreet Boys! Je me sens complètement ridicule, mais je ne vais sûrement pas reculer maintenant que j'ai sauté à pieds joints.

Il faut que je réfléchisse à présent. Je ne peux pas rester plantée là pour l'éternité. Il faut que je fasse quelque chose. Finalement, je décide de regagner la porte pour éteindre la lumière, en prenant soin de ne pas me tourner (même de côté!) évidemment. Ouf! Je n'ai jamais été si heureuse de me retrouver dans le noir...

3 juillet, 6 h 06

Toute la nuit, étendue sur mon lit, j'ai réfléchi à ce qui venait de se passer. Qu'avais-je donc pensé, moi qui suis pourtant si pudique et si réservée, tant à l'école qu'à la maison? Que pouvait bien s'imaginer ce charmant garçon en voyant une fille retirer sa blouse sous ses yeux dans une chambre éclairée, tard le soir? Même si je me sens ridicule, je peux toujours mettre la faute sur le dos de la pleine lune qui, après tout, ne date que de deux jours. De toute façon, le mal est fait à présent et je ne peux plus revenir en arrière.

D'un coup, je me lève et je me rends à la fenêtre pour voir s'il ne m'a pas laissé un autre message. Comme de fait, il a collé un autre papier à sa fenêtre. Cette fois, on n'y trouve qu'un gros X tracé au crayon feutre rouge. Que cela peut-il signifier? Soit qu'il ne veut plus rien savoir de moi, soit qu'il m'envoie un baiser, non?

Il est encore tôt et ses rideaux sont tirés. Je me rue sur mon bureau pour trouver un papier et un crayon. Où est donc mon gros marqueur rouge? Ce serait l'idéal. Ah! le voilà! Je m'empresse de tracer un gros cercle rouge qui, à mes yeux, représente une caresse, mais le comprendra-t-il ainsi? Ça reste à voir! Je le colle à ma fenêtre, au même endroit où j'avais fixé mon prénom. Bon. Il ne reste plus qu'à attendre. Attendre. Comme je déteste ce mot! Pourtant, je n'ai pas le choix.

3 juillet, 21 h 21

Oh, ce que la journée a été longue! Heureusement que mon amie Makoué m'a téléphoné pour m'inviter chez elle. Le 30 juillet prochain, elle donnera une grosse fête pour son anniversaire et m'a demandé de participer à la préparation. Le 30 juillet? Mais c'est le jour de la prochaine pleine lune! Je n'y avais même pas pensé. Enfin... ce sera sans doute un excellent party parce que, chez Makoué, on s'amuse toujours beaucoup.

Il fait presque nuit. C'est l'heure d'aller voir si mon voisin a daigné répondre à mon gros cercle rouge. Je dirige mon télescope sur le désormais notoire coin inférieur droit de sa fenêtre. Encore une fois, je trouve un nouveau papier collé à la vitre. Nicolas a dessiné un dièse et un petit bonhomme-sourire. Tout simplement.

Bizarre. Je n'y comprends strictement rien... Mais oui, voyons! C'est pourtant évident. Il me fait une blague. Après le X et le O, un jeu de tic-tac-toc. Et le bonhomme-sourire signifie qu'il se bidonne. Bien sûr!

Décidément, mon voisin d'à côté fait preuve de beaucoup d'imagination. Tout à fait le genre de garçon dont je raffole: beau comme un cœur et disposant d'un excellent sens de l'humour en prime. C'est fait: je craque!

Comment lui répondre, maintenant? Pendant plus d'une heure, fixant les rideaux fermés et sombres de mon voisin, je réfléchis à ma prochaine tactique. Finalement, je décide d'y aller de quelque chose de simple: un point d'interrogation et un bonhomme-sourire. Comme ça, il ne me trouvera pas trop hardie et se rendra compte que j'entends tout de même à rire. Aussitôt dit, aussitôt fait. Bonne nuit, cher ange...

4 juillet, 8 h 18

La nuit m'a semblé aussi interminable que la journée qui l'a précédée. Encore une fois, j'ai fixé le plafond au-dessus de mon lit pendant des heures et des heures. J'ai réussi à éviter la folie en me rendant à ma fenêtre tous les quarts d'heure pour voir si Nicolas avait remplacé son dièse par un nouveau message. Rien. Du moins, jusqu'à 8 h 15.

Dès que le 14 est devenu 15 à mon réveil digital, je suis retournée à la fenêtre. Nicolas avait accolé une petite main comme on en voit souvent dans la lunette arrière des voitures. Quel message essaie-t-il de me passer? Met-il fin à notre correspondance hiéroglyphique ou commence-t-il à manquer d'idées?

4 juillet, 22 h 32

Pendant toute la journée, j'ai réfléchi à ce que j'allais répondre à mon correspondant de vitrine. Je n'ai eu aucune idée brillante. Le vide total. Finalement, juste avant d'aller me coucher, une image me saute à la tête. Pourquoi ne pas contre-attaquer avec un objet? Après tout, si Nicolas a choisi de poser une petite main oscillante à sa fenêtre, je peux bien coller... une fleur à la mienne!

En une fraction de seconde, je franchis la porte de ma chambre et je m'élance au rez-de-chaussée. En traversant la cuisine, j'empoigne les ciseaux qui traînent sur le comptoir et je passe la porte qui donne sur la cour arrière de la maison. Là, je pénètre dans le jardin de ma mère où je choisis une superbe rose rouge que je coupe en biais, comme mon père me l'a montré.

Tout heureuse, je remonte dans ma chambre, je saisis un morceau de ruban adhésif et je colle rapidement la fleur à la fenêtre en prenant soin de ne pas me piquer sur les épines. Un coup de maître! Le message est clair: j'aime Nicolas. Il ne pourra que le réaliser en remarquant la rose à ma fenêtre.

Ce soir-là, je m'endors paisiblement pour la première fois depuis des jours, le sourire aux lèvres.

18 juillet, 23 h 43

Voilà maintenant deux semaines que je n'ai aucune nouvelle de Nicolas. Je suis en train de devenir complètement folle. Toujours cette damnée petite main insignifiante qui ne semble même pas savoir si elle me dit «bonjour», «bonsoir», «au revoir», «à bientôt» ou «adieu».

Je ne dors plus. Je ne mange presque plus. Mes parents s'inquiètent de plus en plus pour moi et se demandent sérieusement si je ne deviens pas anorexique. Ils ne savent rien de cette idylle insolite que je partage avec Nicolas. Makoué, à qui j'ai tout raconté, trouve cette histoire fascinante, mais tente de me décourager depuis quelques jours, question de retrouver son amie qui a complètement perdu la boule.

Je ne sais plus quoi penser. Ai-je offensé Nicolas sans m'en apercevoir? S'est-il découragé? À-t-il rencontré une autre fille? Ce ne sont que trois des millions de questions qui m'envahissent depuis deux semaines. D'autant plus que je n'ai pas vu la voiture de sa mère depuis tout ce temps. Que fait-il donc? Sont-ils partis en voyage? Peut-être... Ne serait-il pas possible que la main oscillante signifie qu'il s'absente pour une longue période? C'est plausible, non? En tout cas, son inertie me donne envie de préparer un coup de maître pour son retour. Personne ne me fait languir comme ça, bon!

Après tout, depuis le dernier message de Nicolas, j'ai eu droit à la lune gibbeuse, au dernier quartier, au dernier croissant et à la nouvelle lune. C'est bien beau, l'attente, mais il ne faut pas exagérer, quand même!

28 juillet, 22 h 02

Dix autres jours se sont écoulés, pour un grand total de vingt-quatre depuis la dernière communication de Nicolas. Et toujours cette main stupide qui s'agite dans sa fenêtre! Ah celui-là! il aura un chien de ma chienne lorsqu'il reviendra...

Juste avant d'aller me coucher, je me dirige vers ma fenêtre, comme je le fais tous les soirs depuis le début du mois. La nouvelle pleine lune et le party chez Makoué sont dans deux jours. J'ai perdu espoir d'obtenir des nouvelles de Nicolas mais, au moins, je peux anticiper cette fête qui devrait être fantastique.

Incroyable! Contre toute attente, la misérable petite main a disparu. J'ai le souffle coupé. Nicolas est revenu. Avec empressement, j'empoigne mon télescope et je dirige l'objectif sur le coin de la fenêtre de mon voisin. Mon cœur sursaute, les larmes me montent aux yeux et toute l'amertume que je ressentais depuis le début de l'absence de Nicolas s'éclipse comme la Lune lorsque la Terre passe entre elle et le Soleil. Dans la vitre, j'aperçois un gros cœur rouge coloré en entier. Mon amour est revenu et il ne m'a pas oubliée! Je jubile.

M'essuyant les yeux, je m'approche de mon bureau et je dessine, à mon tour, un cœur encore plus gros que celui qu'a fabriqué Nicolas. Remplie de bonheur, je cours ensuite vers la fenêtre pour y fixer mon œuvre.

Cette nuit, je pourrai enfin dormir sur mes deux oreilles.

30 juillet

La grande fête chez Makoué est enfin arrivée. Nous travaillons aux derniers préparatifs en attendant les invités. Makoué est heureuse et je suis contente de partager son bonheur. Cependant, je ne puis m'empêcher de penser à mon retour à la maison. C'est un soir de pleine lune, la première depuis le début de ma «relation» avec Nicolas. Un anniversaire en quelque sorte. Je me demande bien s'il y a pensé et si je trouverai un nouveau petit message dans sa fenêtre.

On sonne à la porte. Les invités commencent à arriver et la fête débute sans plus de cérémonie. Tout le monde danse, chante, goûte aux amuse-gueule que nous avons préparés. C'est la joie. Tout ce qu'il me manque pour que cette fête soit parfaite, c'est...

On sonne encore à la porte. Comme Makoué est descendue au sous-sol chercher des bouteilles de boissons gazeuses, je décide de jouer à l'hôtesse et d'aller ouvrir.

En tournant la poignée, je fige comme si un fantôme se dressait devant moi. Pourtant, le beau jeune homme est bien là, en chair et en os. C'est Nicolas! Apparemment aussi surpris que moi, mon amour reste immobile, souriant, les yeux pleins de lumière.

— *Guten Tag*, Nick, lance Makoué qui arrive derrière moi.

— *Guten Tag*, Makoué, répond mon chéri à ma meilleure amie.

Complètement abasourdie, je n'arrive pas à prononcer un seul mot.

— Camille, j'aimerais te présenter Nick, le fils d'un couple d'amis de mes parents. Il est nouveau dans le coin. Il arrive d'Allemagne. Ses parents viennent d'immigrer au Canada et Nick suit des cours intensifs pendant l'été pour apprendre le français. J'ai pensé que ce serait une bonne idée de l'inviter au party pour qu'il rencontre du monde. Après tout, il va fréquenter le même cégep que nous en septembre.

Sans dire un seul mot, Nicolas franchit la porte, prend délicatement ma main et m'embrasse doucement. Makoué, qui n'avait pas fait le lien jusqu'à maintenant, comprend soudainement qu'il s'agit bien de mon mystérieux et silencieux amour.

En lui rendant son doux baiser, j'ouvre les yeux et, derrière Nicolas, je perçois la pleine lune qui brille avec éclat.

Saint-Constant, le 10 novembre 1996

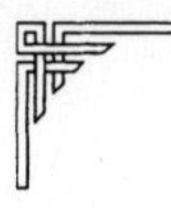

ANGÈLE DELAUNOIS

Aïcha

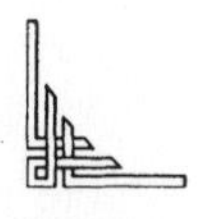
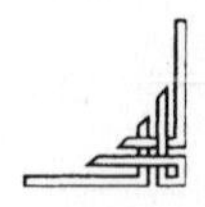

À Fatima, où qu'elle soit

Paris: 1960

J'avais treize ans. C'était l'hiver.

Je n'aimais pas beaucoup l'école. Selon moi, c'était un mal nécessaire pour lequel il fallait dépenser le moins d'énergie possible. Sans trop me forcer, je réussissais à passer dans toutes les matières. Je m'étais installée au fond de la classe pour ne pas distraire les élèves assidues qui paniquaient à l'idée d'obtenir une seule note en dessous de la moyenne.

Nous avions des pupitres doubles. À côté de moi, la place était vide et j'avais empilé dans le casier libre une foule d'objets hétéroclites qui n'avaient qu'un rapport éloigné avec les matières enseignées.

La directrice de l'école surgissait toujours dans notre classe comme si ses jupes étaient en flammes. Ce jour-là ne fit pas exception à la règle. J'entendis son pas de brigadier dans le couloir, ce qui me donna juste le temps de cacher quelques bandes dessinées compromettantes. Elle ouvrit la porte avec brusquerie, l'œil d'aigle aux aguets, et nous toisa une bonne minute avant de nous ordonner de nous rasseoir.

— Mesdemoiselles, je vous présente Aïcha Ben Rachid, une nouvelle élève qui arrive tout juste du Maroc. Je vous demande de bien l'accueillir et de l'aider à s'intégrer parmi nous.

À moitié cachée par l'imposante silhouette de la directrice, je découvris alors la plus extraordinaire petite femme que notre classe abrita jamais.

Aïcha était toute petite, menue et délicate comme une poupée. Elle avait d'immenses yeux de gazelle, relevés vers les tempes, et une peau d'une blancheur de porcelaine. Elle était habillée d'une façon tellement incroyable que j'en restai bouche bée.

Sa tête était couverte d'une sorte de fichu bleu clair, orné de pompons multicolores et de minuscules piécettes de monnaie, noué sur le dessus du crâne. Un haïk, sorte de grande robe noire en tissu transparent, la couvrait des pieds à la tête, mais laissait deviner des vêtements de dessous aux couleurs éclatantes: une tunique longue rose vif en tissu imprimé et un pantalon bouffant assorti, serré aux chevilles. Seule concession à nos habitudes, elle portait d'épaisses chaussettes de laine blanche dans des petits souliers dorés.

Le professeur lui indiqua la place libre à côté de moi. C'était la seule disponible. Elle traversa la classe, les yeux baissés, et se glissa sur mon banc. Les piécettes de sa coiffure tintaient à chacun de ses gestes. Petite musique joyeuse qui troubla ma tranquillité.

Je n'étais pas très heureuse d'être ainsi dérangée dans mon installation de luxe et de devoir entasser en catastrophe, dans une seule case, tout le bataclan qui en remplissait deux. Toutes les têtes étaient tournées vers nous et le professeur eut beaucoup de mal, ce matin-là, à nous ramener aux accords du participe passé.

Aïcha posa sur le pupitre une sacoche de cuir, ornée de motifs dorés en relief. Elle en sortit un cahier et plusieurs livres qu'elle aligna avec soin. Elle plongea la main une seconde fois dans son sac à merveilles et en ramena une longue boîte noire en bois, incrustée de motifs géométriques en nacre. Une farandole de caractères arabes dansait tout autour du couvercle. C'était un magnifique et mystérieux objet, propre à alimenter mes envies d'envol et d'espace. Elle s'en servait comme plumier, pour ranger ses crayons et ses stylos.

Je bouillais de curiosité, intriguée au plus haut point par cette fille d'ailleurs. Dans notre classe, elle ouvrait une fenêtre sur les déserts de cailloux et les oasis fragiles de son lointain pays. Mine de rien, j'observai ma voisine et je me grisai de nos différences. Ses mains minuscules étaient entièrement couvertes d'arabesques brunes, peintes au henné avec une patience infinie, tandis que la paume de ses mains était teinte en rouge. Un tatouage bleu en étoile soulignait son menton. Le bord inférieur de ses yeux était relevé d'un trait de khôl, noir et humide. Aïcha dégageait une odeur étrange et dérangeante. Quelque chose comme un fort parfum de fleurs, mélangé à des épices inconnues que j'imaginais brûlantes. Elle était incroyablement jolie, avec une douceur et une grâce qui n'appartenaient déjà plus à l'enfance.

Ma voisine d'à côté tourna vers moi l'éclat doré de ses yeux et me sourit. Je lui tendis mon livre de grammaire en soulignant du doigt la leçon du jour et nous entrâmes ainsi, avec une sereine confiance, au pays sans frontières de l'amitié.

Il n'était pas très facile d'être l'amie d'Aïcha. Elle était si différente de nous. Aux récrés, elle se réfugiait près de la porte du préau, grelottant sous le vent et la pluie, en quête du moindre courant d'air chaud. Elle ne se mêlait jamais à nos jeux, ignorant totalement les subtilités de la marelle, dédaignant les élastiques, se moquant des parties de billes et des concours de balle au mur.

Elle ne mangeait jamais à la cantine avec nous. Elle était musulmane et certains aliments qui nous étaient familiers lui étaient interdits. Elle avait obtenu la permission de déjeuner dans le préau. Alors que nous partions en rang vers le réfectoire, elle sortait de sa sacoche une serviette blanche, emprisonnant selon les jours une saucisse épicée, une salade aux légumes inconnus ou quelques boulettes de viande, roulées serré dans une galette de pain plat. Elle finissait son repas par un thermos de thé chaud, abominablement sucré, et une petite pâtisserie dégoulinante de miel.

Parfois, nous faisions des échanges. Je lui apportais du chocolat, des triangles de fromage, des tranches de cake aux fruits, et elle partageait avec moi les délices de sa serviette blanche. Ce n'était pas toujours de mon goût, mais cela excitait joliment mes papilles. Je raffolais des petits carrés aux pistaches... par contre, le chausson sucré aux oignons et au poulet me jeta le cœur au bord des lèvres pour un après-midi entier.

Un jour, sans savoir que pour elle c'était chose interdite, j'apportai à Aïcha la moitié d'un sandwich au jambon. Elle me regarda d'un air paniqué, ouvrit la bouche pour s'expliquer... mais la tentation fut la plus forte. Fermant les yeux sur son péché, elle mordit dans le pain, dégustant pour la première et, sans doute, la dernière fois, la saveur fumée de la viande rose. Délectable secret, partagé avec un sourire complice.

Avec le retour du soleil, Aïcha se dégela. Elle aimait marcher dans la cour, sous les grands arbres. Suspendue à mon bras, elle m'arrivait à peine en dessous de l'oreille. Elle me posait mille et une questions sur ma famille et sur la façon dont nous vivions, éprouvant pour moi une curiosité jumelle de la mienne.

Elle ne me parlait jamais des siens, mais me racontait volontiers son étonnant pays. Elle était intarissable comme l'oued de son village qui chantait et cascadait entre deux murailles ocre. Dans sa vallée verdoyante, les champs étaient bordés de haies de rosiers dont on récoltait les boutons pour faire de l'eau parfumée. Une fois, elle était allée jusqu'au grand Sahara. Elle s'étonnait encore de la qualité du silence, troublé seulement par le glissement du sable, et de l'infinie monotonie des dunes rousses qui bloquaient l'horizon. Ses yeux étincelaient lorsqu'elle parlait de Marrakech, la ville rose cuite au soleil, et de la grouillante animation de ses souks, enfermés dans un rempart. La bouche entrouverte, les yeux perdus, je rêvais à l'infini sur les paysages qu'elle me dévoilait.

Mais d'Aïcha elle-même, je ne connaissais rien.

Elle me racontait les lieux qu'elle aimait passionnément, mais ne parlait jamais des gens qui les peuplaient. Ce silence abritait une étrange angoisse qu'il m'arrivait par moments de saisir, sans la comprendre. Aïcha soupirait souvent et son petit visage de princesse arabe devenait presque tragique.

Personne ne savait ce qu'elle faisait en dehors de l'école. Moi qui étais sa meilleure amie, j'ignorais jusqu'à son adresse. Lorsque la cloche sonnait la fin des cours, elle entassait ses cahiers dans sa sacoche et se faufilait pour sortir le plus vite possible. Un jeune homme brun l'attendait sur le trottoir d'en face. Le regard farouche, indifférent à tout le reste, il la regardait traverser la rue de son pas gracieux de gazelle. Sans un salut, il l'entraînait dans son sillage, vers une vieille voiture déglinguée qu'il garait en dépit du bon sens sur le passage clouté. Dès qu'il posait le regard sur elle, elle échappait à notre univers d'écolières et j'avais alors la triste impression de ne plus exister.

Un jour, elle finit par répondre à mes questions répétées au sujet du bel inconnu qui l'attendait à la sortie de l'école.

— C'est Aziz, mon frère. Chez nous, les filles ne peuvent pas circuler comme elles veulent.... Tu ne peux pas comprendre. Ce serait trop long à t'expliquer.

L'année scolaire touchait à sa fin. Nos projets d'été se précisaient. Aïcha devenait nerveuse et ses yeux dorés ressemblaient de plus en plus à ceux d'une biche traquée. Je sentais qu'elle avait peur de quelque chose, mais elle refusait obstinément de me parler de ce qui la tracassait. Une semaine avant la fin des cours, je remarquai que le frère de mon amie n'était pas seul à l'attendre. Un homme plus âgé, que je pris tout d'abord pour son père, surveillait, lui aussi, la sortie de ma délicieuse compagne.

Lorsqu'elle le vit, Aïcha s'immobilisa sur le bord du trottoir. Elle fixa l'étranger d'un regard troublant qui me mit mal à l'aise... regard curieux de fille... regard de femme coquette... regard qui explore.... regard qui interroge. Durant quelques secondes, toute l'intensité de son âme s'exprima par ses yeux. C'était tout ce qu'elle pouvait se permettre. C'était presque trop!

Moi, je n'y comprenais rien du tout.

C'est le lendemain de ce jour-là qu'Aïcha me dit adieu.

Les yeux pleins de larmes, elle me tendit la boîte noire que, chaque jour, j'avais caressée du regard.

— C'est pour toi, je te la donne.

— Mais pourquoi? Tu vas en avoir besoin pour l'école, à la rentrée prochaine.

— Je ne reviendrai pas. L'école, c'est fini pour moi.

— Comment ça, fini? T'es bien trop jeune pour cesser tes études.

— Je vais avoir quinze ans dans deux semaines et mon père a décidé de me marier le jour de mon anniversaire.

Je fus horrifiée.

Les jambes molles, je tombai assise sur les marches du préau, serrant la boîte noire contre mon cœur. Existait-il vraiment des pères qui donnaient leurs filles-enfants... et des hommes qui épousaient leur ignorance? Ma petite princesse des sables pleurait en gémissant comme un animal blessé. Je l'entraînai au fond de la cour et, cachées derrière un platane, elle me raconta.

Ses parents avaient tout arrangé. Sa mère avait rencontré la mère de son futur époux aux bains turcs. Elles venaient de la même ville et se connaissaient depuis toujours. Elles avaient parlé de leurs enfants préférés: d'Aïcha-la-Belle, élevée dans la perfection des traditions séculaires, et d'Okacha-le-Sage qui avait étudié dans les meilleures écoles et qui possédait une quincaillerie prospère. Les négociations avaient été menées rondement. Les hommes des deux familles s'étaient rencontrés pour fixer le montant de la dot et les femmes avaient prévu dans les moindres détails le déroulement des noces. Après la cérémonie, la jeune épousée partirait en grandes pompes pour vivre dans la maison de son mari auquel elle devrait une obéissance absolue... à jamais perdue pour sa propre famille.

Tout avait été décidé sans que la principale intéressée en soit informée. Elle s'était bien doutée de quelque chose, mais elle ne connaissait la vérité que depuis quelques jours seulement. La veille, elle avait vu son futur époux pour la première fois. C'était lui qui l'attendait en compagnie de son frère, à la sortie de l'école.

Un vieux! D'au moins trente ans!

Indescriptible! Ce que je ressentis à ce moment-là est impossible à raconter. Colère, dégoût, frustration, horreur, révolte se bousculaient pour faire éclater ma poitrine, tandis que mon amie me racontait sa terrible histoire en tremblant.

Curieusement, au fur et à mesure qu'elle me parlait, son chagrin semblait s'apaiser. Elle sécha ses dernières larmes avec un coin de son haïk noir et me fit cette remarque qui me sidéra:

— Tu sais, j'ai quand même de la chance! Okacha est riche. Je ne manquerai de rien et nous vivrons dans une belle maison. Et puis, c'est un homme doux, il ne me battra jamais. J'essayerai d'être une bonne épouse pour lui. Est-ce que tu l'as vu? Moi je l'ai trouvé très beau.

Ses grands yeux devinrent rêveurs. Elle avait déjà accepté son destin, pressée de connaître les extases mystérieuses des amours adultes. Je réalisai soudain que cette fille miniature était une femme très désirable et j'en fus bouleversée de chagrin. Il y aurait eu tant à dire.... et je ne savais par quel bout commencer.

Étais-je en mesure d'évaluer sainement cette situation qui me dépassait?

Avais-je le droit de la juger?

J'ai préféré me taire.

Nous n'avions jamais vécu dans le même monde.

J'avais à peine quitté le cocon de l'enfance et je n'étais pas si pressée que ça de grandir. De ses paumes teintes, Aïcha caressa mes joues mouillées. Ensuite, elle traversa la rue pour rejoindre son frère, sans un regard derrière elle. Je ne la revis plus jamais.

La boîte noire eut une curieuse influence sur ma vie. D'une certaine façon, mon amitié pour Aïcha y était enfouie. Pour moi, cette boîte symbolisait l'enfermement des femmes qui n'ont d'autre choix que l'obéissance et je pris brusquement conscience de la chance que j'avais. Personne ne pouvait m'empêcher d'étudier, de lire, de grandir, de voyager ou d'aimer comme je le voulais. Comme tout le monde, j'allais connaître certaines entraves, mais ce n'était rien en comparaison de celles qu'Aïcha allait subir. Moi, j'avais le choix. En travaillant, je pourrais me construire.... et devenir une femme libre! Mes notes montèrent en flèche à partir de ce moment-là et je fus bien la seule à y trouver une certaine logique.

J'ai souvent pensé à ma petite voisine de classe. Seul le silence a répondu à mes questions. Je n'ai pas réussi à la faire vieillir alors que la poussière des voyages a imprimé des chemins sur mon front. Aïcha est à jamais inscrite dans le cahier de mes treize ans, lumineuse dans son haïk noir et son fichu à pompons, dans tout l'éclat de perle de son printemps.

Inch' Allah!

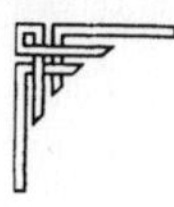

CÉCILE GAGNON

Élodie

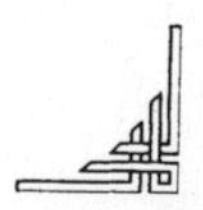

Quelquefois, pour écrire,
on ne trouve rien d'autre
que les débris de sa propre vie.

Jacques Poulin, *Le Vieux Chagrin*

Le 15 octobre

Ma chère petite maman,

Tu le sais, on a loué pour moi un petit appartement dans un village tranquille pour que je me repose et achève ma convalescence dans le calme.

Je reviens de loin, maman, les autres membres de la famille te l'auront dit. Quand on est atteint d'une maladie comme la mienne, ce n'est pas facile de conserver une flamme d'espoir, une flamme qui tienne bon malgré la détresse. Je te fais grâce des détails concernant les couloirs d'hôpitaux et les abords des salles d'opération: tu as connu ça, toi aussi. Cette partie-là est finie. Mais il y a des moments où on se dit qu'on est en train de glisser vers la mort sans s'en rendre compte. On se demande si les gens qu'on côtoie s'imposent de nous sourire à tout prix.

Ce sont justement ces sourires qui font le plus mal. Ils ressemblent plutôt à de terribles grimaces, à des crampes nerveuses. Car, si les lèvres sourient, les yeux restent vrais. Les regards nous révèlent si l'on va mieux ou si notre état empire. «Les yeux sont le miroir de l'âme.» Tu te souviens quand tu me disais ça, maman? Je n'ai pas oublié. Et tu avais raison. Mais on peut se tromper aussi. Heureusement. Quand j'ai quitté l'hôpital, les regards des gens de mon entourage ne m'ont pas rassurée tout à fait. Mais moi, je sais que je vais guérir.

Je suis donc installée pour quelques semaines dans ce petit logis. Il y a les montagnes tout près, je les vois par la fenêtre. Et dans ce village paisible, le seul bruit que j'entends, à part le vent, c'est le passage du train – il siffle avant le tunnel – une fois par jour. Rien d'autre. Une femme, engagée par Maurice et Josette, vient me porter mes repas tous les jours. J'ai insisté pour rester seule. Pendant toutes ces semaines, je n'aurai qu'elle comme visiteuse. Elle est très discrète: nous nous parlons peu. Elle s'appelle Fernande. Elle m'apporte le courrier, parfois des revues. Grâce à elle, tout doucement, j'apprivoise le décor et le voisinage.

Maintenant que la saison touristique est terminée, tout va au ralenti. Alors, quand je vois un passant sur le trottoir, je suis toute contente. Je le suis des yeux et je lui invente une vie. Ça occupe ma journée entière. Quel plaisir que j'ai de créer des mondes, si tu savais!

Comme je ne fais qu'une sortie quotidienne, le matin, les heures de la journée sont longues. Alors, j'ai choisi d'occuper mon temps à écrire. Qu'est-ce que tu en dis, maman? Je vais t'écrire à toi, à toi qui ne viendras jamais ici dans ce village perché dans les montagnes, et je vais te raconter ce que je vois de ma fenêtre; je vais tenter de rendre vivants pour toi les présences, les rares bruits que j'entends, les pas sur le trottoir et le souffle du vent sur les toits. Tu verras, ça va faire une belle histoire.

J'ai très envie de m'astreindre à observer tous les petits détails quotidiens qu'on a rarement le temps de noter et qui définissent mieux que les photos et les longues descriptions ce qui fait l'essence des jours. Ce faisant, je pense que je vais reprendre confiance en mes capacités de création.

Alors, écoute bien, ma petite maman lointaine. Dès le premier jour, je me suis postée à cette grande fenêtre qui donne sur l'angle de la rue. J'ai vu une maison blanche assez jolie avec des volets gris et un toit penché percé de deux lucarnes. Je m'amuse à imaginer qui sont les habitants de cette maison, mes voisins. Je pourrais le demander à Fernande mais ce serait trop facile.

Je vois un homme assez jeune, grand, partir le matin. Il a une barbe noire qui lui couvre le menton. Une femme sort et entre. Elle est menue et semble soucieuse. Elle s'absente peu et revient vite après les courses. Dans une fenêtre à l'arrière il y a des rideaux de mousseline rose. On y allume une lampe, tôt l'après-midi.

Aujourd'hui, quand je suis rentrée de promenade, j'ai remarqué un gros chat jaune couché sur la galerie de la maison blanche. Il dormait, roulé en boule, près de la porte.

Dans le petit jardin derrière la maison blanche, il y a une balançoire de bois, et quelques massifs de fleurs, un arbre dont les feuilles commencent à jaunir. C'est un bouleau. Il est très beau. Il ne vient personne dans le petit jardin, personne pour utiliser la balançoire, personne pour cueillir les dernières fleurs qui absorbent lentement le dernier soleil de l'automne. Y a-t-il un enfant dans cette maison? Qui occupe la chambre aux rideaux roses?

Je le saurai. Bientôt tu connaîtras les secrets de cette maison. Mes mots vont essayer de te les raconter. Ce sera l'histoire de la chambre aux rideaux roses, de la balançoire vide et du chat jaune qui ronronne en attendant d'entrer.

À bientôt, la suite.

Je ne signe pas, tu sais que c'est moi qui t'écris.

○

Le 20 octobre

Chère maman, mon amie de toujours,

Ce matin, la jeune femme est sortie un court moment dans son jardin. Elle avait un sécateur à la main. Elle a fait le tour des plates-bandes, puis elle a coupé les plus jolies fleurs qu'elle a emportées.

J'ai jeté un coup d'œil à la chambre aux rideaux roses pendant qu'elle était là. Les rideaux ont bougé et j'ai vu le chat jaune juché sur le rebord de la fenêtre. Ça doit être sa place, sur le radiateur. Après, j'ai vu la jeune femme déposer le bouquet dans un vase sur la fenêtre. Elle a entrouvert les rideaux juste pour faire entrer un peu de la lumière du jour. Puis, le chat est sorti de nouveau sur la galerie.

Autour du bouleau, dans le jardin, tournoient des oiseaux parmi lesquels j'ai reconnu des mésanges et des fauvettes aux ailes rayées. En déposant les fleurs dans la fenêtre, la jeune femme les a vus. Elle les a suivis des yeux et a esquissé un sourire. Moi aussi, j'observe les oiseaux dans l'arbre jaune. Ils sont très sautillants et bourrés de vitalité. Ils me donnent du courage..

J'ai pensé que la jeune femme en voyant les oiseaux s'est peut-être dit: « Ah! tiens, il y a des mésanges, ce serait bien de mettre une mangeoire pour l'hiver. Elles seraient contentes.» Tu ne penses pas, maman, que cette femme s'est dit ça dans sa tête? Ou peut-être en a-t-elle parlé à quelqu'un d'autre?

Il ne s'est rien passé d'autre de la journée. J'ai fait une longue sieste et j'ai repris mon guet. Je sens comme une atmosphère particulière autour de la maison de mes voisins; il y règne une tranquillité artificielle, je ne sais trop pourquoi. Je vois des gens ralentir leur pas en la longeant. Certains, venant de la rue qui grimpe, s'étirent le cou par-dessus la clôture du jardin et lancent un coup d'œil furtif en direction des fenêtres.

Cette nuit, je ne dormais pas; j'ai vu que toutes les lumières de la maison blanche étaient allumées. J'ai été surprise et puis, non, je suis sûre que ce n'est pas parce qu'on faisait la fête. Une voiture s'est arrêtée devant la maison; une personne est entrée avec une petite mallette à la main. Je suis restée là, à ma fenêtre et, au bout d'une heure, j'ai vu la personne repartir avec sa voiture. Petit à petit, toutes les lumières se sont éteintes, sauf celles de la chambre aux rideaux roses. Le chat n'était pas visible et je suis retournée me coucher.

Je te reviens bientôt. Attends la suite.

Affections.

○

Le 26 octobre

Ma petite maman chérie,

Il pleut. Le village est désert. L'eau ruisselle sur les trottoirs. Le chat jaune se terre sur la galerie, loin des gouttières. Je pense qu'il veut rentrer. Il n'aime pas l'humidité. J'ai ouvert la fenêtre pour mieux entendre la pluie. J'ai tendu l'oreille pour savoir si le chat ronronnait. Il m'a entendue. Il a levé la tête. J'ai reconnu, le temps d'un éclair, une petite connivence, quelque chose qui passait de lui à moi. Comme s'il pensait: «Je sais que tu nous observes. Mais nous avons nos secrets dans cette maison...»

Puis, à la fin du jour, le barbu est rentré, et le chat s'est glissé entre ses pattes et il a filé à l'intérieur. Je peux distinguer sa forme sur le radiateur. Il s'est fait une place à côté du bouquet. C'est un chat plein d'astuces. Comme tous les chats. Je lui ai trouvé un nom; il s'appellera Gustave.

Il y a une lumière pâle qui veille dans la nuit derrière les rideaux roses. Gustave dort sûrement.

Et moi je t'embrasse.

○

Le 2 novembre

Très chère et très aimée petite maman qui me lit,

Il y a du nouveau! C'est le matin. Le barbu de la maison blanche sort dans le jardin avec la jeune femme. Il tient un escabeau et elle, des outils. Je suis folle de joie parce que j'avais réellement anticipé les détails de cette journée. S'aidant et se consultant tous les deux, ils fixent une mangeoire d'oiseaux au bouleau. Elle est placée assez haut et on doit pouvoir bien la voir de la fenêtre.

La femme retourne dans la maison et en ressort avec un sac. Elle remplit la mangeoire avec des graines de tournesol. Je suis enchantée.

Ils rentrent à l'intérieur. Tout à coup, je vois arriver Gustave. Lui aussi a l'air heureux de cette nouvelle installation. Il fait semblant de dormir sur la galerie mais il surveille, tu peux en être sûre! Il ne dort que d'un œil. Il choisit déjà ses proies et en rêve.

J'ai passé beaucoup de temps à surveiller la mangeoire, moi aussi, mais les oiseaux sont timides et craintifs. Ils attendront sans doute le coucher du soleil avant de faire l'essai de cette nouvelle halte.

Dans le jardin de la maison blanche, le seul mouvement vient de la chute des feuilles qui tombent sans bruit en zigzaguant jusqu'au sol. Je ne trouve pas ça triste, des feuilles qui tombent. Elles savent qu'elles ont fini leur vie de feuille et que l'heure est venue de s'en aller. Elles se balancent comme pour faire un signe d'adieu avant de tapisser lentement l'herbe d'une couche dorée.

Et puis, tout à coup, les voilà! Des mésanges et des fauvettes excitées. Elles font beaucoup de bruit et s'agitent dans l'arbre. Gustave ouvre l'œil. Et soudain les rideaux roses bougent. La jeune femme tient une forme dans ses bras, et je distingue le visage d'un enfant tout près du sien.

Je vois deux yeux brillants dans un petit visage très pâle. Deux grands yeux qui regardent la vie du dehors. La femme et l'enfant restent longtemps à la fenêtre: les oiseaux continuent leur ballet insouciant. Je ne peux m'empêcher de faire un signe de la main. Juste un petit salut.

L'enfant m'a peut-être vue. Mais le soleil s'est couché et l'ombre m'empêche de bien voir. Les rideaux se referment tandis que Gustave profite de la brunante pour se rapprocher dangereusement de l'arbre. Les oiseaux savent qu'il est là, mais ils continuent de casser les graines avec leur petit bec dur.

C'est tout. Je suis émue.

Tu vois, maman, j'ai percé le secret de la chambre rose. À cause des oiseaux.

Je te raconte la suite bientôt. Je t'embrasse très fort.

O

Le 4 novembre

Ma petite maman éloignée mais si près dans mon cœur,

Les fauvettes et plein d'autres oiseaux ont adopté le jardin de la maison blanche. C'est un délice de les observer. Hier encore, l'enfant tenu dans les bras de sa mère – ça doit être elle, non? – est venu un moment suivre des yeux leurs mouvements autour de la mangeoire.

Gustave a découvert un nouveau, sens à sa vie. Il devient un grand sportif. Il rôde, se cache et s'élance dans de folles poursuites. Mais les oiseaux ne se laissent pas attraper.

Quand Fernande est venue, je n'ai rien osé lui demander. Tu vois, maman, j'ai compris qu'il suffit de mettre ses sens en éveil et d'ouvrir les yeux: on découvre toujours une parcelle de beauté dans la vie, même si elle est toute minuscule. Ça me fait du bien de partager avec toi ces instants de bonheur.

Quand l'enfant vient à la fenêtre, je suis là. Et je lui envoie la main. Aujourd'hui, il m'a regardée et il a penché la tête. Sa main a esquissé un petit salut qui m'est allé droit au cœur.

Que j'ai bien fait de me remettre à écrire! Mon cœur se gonfle d'espoir et je sens mes forces revenir une à une.

Je te tiens au courant de tout. Je t'embrasse avec tendresse.

O

Le 7 novembre

Maman de toujours,

Depuis quelques jours, je n'ai vu que Gustave et les oiseaux. Le train siffle toujours.

Fernande est venue plus tôt aujourd'hui. Elle n'avait pas l'air dans son assiette. Elle a posé les plats sur la table, puis elle m'a regardée en silence tandis que j'observais dehors. Le train a sifflé plus fort que d'habitude avant de filer dans le tunnel. J'ai sursauté. Fernande est venue près de moi. Je me suis retournée et j'ai vu les larmes dans ses yeux.

D'une voix mal assurée, elle a juste dit:

— Votre petite voisine est partie. Elle est morte cette nuit.

J'ai montré les rideaux roses. Elle a fait signe que oui.

Il y a eu un long silence, puis elle a articulé d'une voix sans joie:

— C'est dur pour eux. Elle était leur seule enfant.

Nous sommes restées toutes les deux, la gorge nouée, à regarder la fenêtre aux rideaux fermés. Dans le bouleau, les mésanges tournoyaient autour de la mangeoire presque vide. Mon cœur s'est mis à battre comme un fou.

Fernande a dit:

— Elle s'appelait Élodie. Elle avait neuf ans.

Puis, elle a quitté l'appartement, sans bruit. Et moi, je suis restée là à regarder tomber les feuilles. Je n'ai rien fait de la journée.

Maman, pardonne-moi. Je voulais te raconter une histoire joyeuse et puis, non, tu vois, c'est une histoire triste. En repensant aux feuilles du bouleau, j'ai songé que ma petite voisine, Élodie, était, comme elles, arrivée au bout de sa vie. Elle a quitté sa branche, sans bruit, dans un soupir de vent. Au fond, les végétaux et les humains sont soumis aux mêmes cycles. Mais il est vrai que le regard d'une petite fille fait toute la différence.

Gustave a passé la journée à tourner en rond autour de la maison. Il ne s'intéresse même plus aux oiseaux. Il erre sans but. Dis-moi maman, crois-tu que les chats ont du chagrin, eux aussi?

Je te serre dans mes bras malgré tout.

Je reviens bientôt.

O

Le 15 novembre

Ma petite maman,

Aujourd'hui, je fais mes bagages. Ma convalescence est terminée. J'ai repris mes forces, je me sens prête à recommencer mes activités.

Josette vient me chercher demain.

Autour du village, les montagnes ont déjà coiffé leur capuchon de neige. Les feuilles du bouleau sont toutes tombées. La mangeoire est vide. Et les oiseaux se contentent des graines restées au sol sous l'arbre.

La dernière image que j'apporte avec moi est celle de la mère d'Élodie, assise sur la balançoire avec Gustave, le gros chat jaune, sur les genoux. Elle se balance doucement et elle regarde droit devant elle. Je les contemple avec le cœur allégé. Je sais qu'ils vont se consoler mutuellement.

Au revoir, maman. Je te donnerai de mes nouvelles quand je serai rentrée.

O

Le 25 novembre

— Allô?

— Madame, c'est Fernande. Pardonnez-moi de vous déranger. Votre sœur va bien?

— Très bien, elle est complètement rétablie. Le séjour chez vous lui a fait un bien immense. Elle a commencé à écrire un roman.

— Euh... Je vous appelle parce qu'en faisant le ménage dans l'appartement, j'ai trouvé un paquet de lettres que votre sœur a oubliées. Je me demandais si je devais les poster tout simplement à la personne dont le nom figure sur l'enveloppe.

— Ah! je vais le lui demander. Quel est ce nom?

— Mme Rose-Aimée Dufour

— ...

— Madame?

— Oui, je suis là. C'est que... cette personne est décédée il y a plus de trente ans. C'était notre mère.

— Ah! Alors je... je les jette.

— Je pense qu'il vaut mieux, oui.

— Merci, madame. Alors, à l'été prochain.

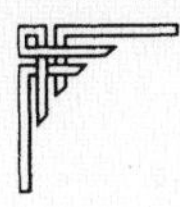
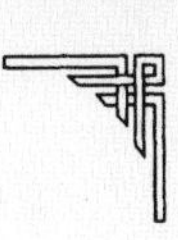

JEAN-PIERRE GUILLET

Procès sur Véga

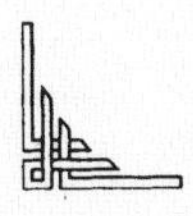
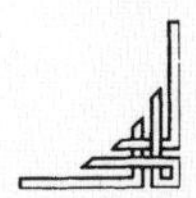

— Meurtre avec préméditation.

Mon avocat informatisé avait craché l'acte d'accusation d'un ton monocorde.

— Quoi? m'écriai-je en agrippant l'écran qui luisait doucement au mur de ma cellule.

— Vous êtes accusé de meurtre avec préméditation, répéta stupidement la silhouette humanoïde synthétique.

— Mais c'est impossible, il y a erreur! hoquetai-je en secouant le terminal.

L'ordinateur fit entendre une suite de cliquetis tandis que des dossiers juridiques défilaient rapidement à l'écran. Rédigés en végan. Incompréhensibles. Mais une série de prises de vue montrait mon appartement, ma cour, celle de mon voisin... Une image se figea, l'imbécile de voisin au milieu de son foutu jardin de pierres.

— Aucune erreur, reprit le logiciel avocat de sa voix dénuée de toute émotion. Homicide contre votre voisin, l'honorable... (Ici, une onomatopée à peu près imprononçable, quelque chose comme un hybride de rot et de grincement de dents.)

À l'écran, l'image grotesque de mon voisin du complexe minier international continuait à me narguer. Gus – c'est ainsi que je l'avais surnommé – avait de larges verres fumés sur un mufle aplati, de grandes oreilles pendantes sous sa casquette, la bouche perpétuellement entrouverte sur une langue épaisse et le poil hirsute sous sa chemisette fluo.

— Faux! Archifaux! Je l'ai à peine touché, ce... ce... cette espèce de chien à lunettes! rageai-je en martelant furieusement l'ordinateur du poing.

Un jet de gaz siffla de l'appareil. Je reculai en toussotant.

— Allons, calmez-vous, je vous prie, reprit la silhouette du clerc digitalisé, imperturbable. Je suis ici pour recueillir votre version des faits. Votre procès a lieu ce soir.

Ce soir! Enfin! il était temps qu'on s'occupe de moi. Il y avait des jours que je croupissais dans cette cellule capitonnée, sans aucun contact avec l'extérieur. Un distributeur automatisé débitait d'insipides comprimés nutritifs et de l'eau sulfureuse. Le terminal ne donnait accès qu'à des jeux vidéo végans sans queue ni tête...

Lorsque les policiers végans étaient venus me cueillir à mon appartement, j'avais demandé à voir le consul terrien. Ils avaient fait la sourde oreille. Façon de parler, évidemment, puisque les gens de Véga sont tous sourds et muets. Ils émettent entre eux des impulsions électriques perçues directement par leur épiderme gluant ou traduites, pour les étrangers comme nous, par un interprète électronique.

Je me laissai tomber sur le lit étroit, les yeux larmoyants, à la fois sous l'effet du gaz irritant et de la tension nerveuse. L'écran me fixait toujours de son œil blafard. Je secouai la tête et levai les bras, en signe d'apaisement.

— Écoutez, fis-je, je vous assure que la dernière fois que j'ai vu ce... (impossible de reproduire son nom)... hum... cet individu, il était bien vivant. C'est même moi qui devrais le poursuivre pour assaut, coups et blessures.

— Un instant, procédons par ordre. Veuillez décliner vos nom, prénom et profession.

Ils savaient déjà tout cela, évidemment. Je me retins de flanquer un coup de pied au terminal. À quoi bon? Fonctionnaires et formalités. Par tout l'espace, il fallait encore en passer par là.

— Arel, Jac, soupirai-je. Citoyen de Sol III, la Terre. Ingénieur itinérant pour la compagnie Industries interstellaires inc.

Contrat d'un mois au camp minier de Véga IV pour installer des compresseurs ioniques.

J'attendis une autre question, mais l'ordinateur se contentait d'inscrire les incompréhensibles signes végans à l'écran au fur et à mesure que je parlais. Il notait ma déposition, apparemment. Soupirant derechef, je me résignai à continuer mon monologue. Je repris tout depuis le début.

Une planète un jour, une autre le mois suivant... j'en ai vu, des complexes industriels. Le boulot paye bien, c'est ce qui compte pour moi. Je ne suis pas du genre touriste. Les rapprochements interculturels, les beaux principes fraternels de l'Organisation des Mondes unis... ça ne m'intéresse pas. Je n'aime guère me mêler aux natifs. Trop de races et de coutumes différentes. Pour chaque contrat, je loge dans les appartements que me fournit la compagnie. Le boulot fini, bonjour la visite! Quand j'aurai accumulé un magot suffisant, je retournerai m'installer sur Terre pour diriger ma propre entreprise.

Toujours est-il que sur Véga IV je logeais au complexe international. Appartement convenable, avec une petite cour extérieure. Une haie basse mitoyenne séparait cette cour de celle du voisin: Gus.

De quel trou perdu de la galaxie sortait ce type ridicule, qu'est-ce qu'il foutait au complexe... allez donc savoir! Croyez-moi, on en voit de toutes sortes, dans ces camps interplanétaires. Quand je revenais de bosser, je voyais ce lourdaud à l'air idiot s'affairer dans son jardin. Si on peut appeler ça un jardin! Des cailloux colorés de toutes les tailles, disposés sur le sable en motifs géométriques. Au milieu, en arc de cercle, une série de colonnes où trônaient des pierres plus grosses, brillantes sous le gros soleil blanc de Véga. Gus les époussetait soigneusement en marmonnant je ne sais quoi d'une voix traînante. Il passait ainsi des heures à astiquer et à palper longuement ses pierres, comme un trésor précieux. Certains socles étaient vides, mais parfois il revenait de la mine avec une nouvelle pierre ou, au contraire, y retournait avec une autre pierre sous le bras. Ce manège m'intriguait. La mine exploitait divers minerais, mais aucun gisement de pierres précieuses, à ce que je sache.

Je ne tenais pas spécialement à socialiser, mais quand le voisin me voyait, il me faisait de grands saluts de la main, désignait ses pierres avec un sourire béat, et baragouinait quelques mots par-dessus la haie. Mon traducteur électronique avait peine à déchiffrer son charabia. Je crus comprendre qu'il venait d'Argus (d'où le surnom que je lui donnai) et qu'il était domestique, ou quelque chose comme ça. Je coupais court à la conversation, sans façon: même à distance, son haleine empestait!

— Venons-en au fait, interrompit le logiciel juridique. Le soir où vous vous êtes introduit dans son jardin pour tuer votre voisin...

— Ah ça, vous n'y êtes pas du tout! Une pierre était tombée, j'ai voulu la ramasser et la remettre en place, pour rendre service, tout simplement. C'est alors que l'autre m'a sauté dessus...

— Tout cela a-t-il un lien quelconque avec vos différends envers les employeurs locaux, continua l'autre comme s'il ne m'avait pas entendu.

— Mais non, absolument pas!

Avocat, mon œil! Je n'étais pas assez fou pour lui avouer ça, quand même. Oui, il y avait eu des pépins au boulot. Les clients végans chipotaient sur les détails du contrat, j'ai dû faire des heures supplémentaires et ils n'ont pas voulu me payer un sou de plus. À la fin du mois, j'étais enragé. Justement, le dernier soir, qui ne vis-je pas? Une des grosses légumes de la mine chez mon gugusse de voisin. Le Végan inspecta le jardin, puis

Gus saisit précautionneusement une des pierres précieuses et monta avec l'autre dans son véhicule.

Du coup, j'ai compris. Gus était le serviteur de ce maudit patron végan qui ne voulait pas me payer à ma juste valeur. Une idée m'est venue. Le soir tombait. Personne aux alentours. Je me suis faufilé dans le jardin de pierres, par un interstice dans la haie.

Les gemmes chatoyaient même à la lueur du crépuscule. Oui, ces pierres précieuses devaient valoir cher, pour qu'on les astique avec tant de soin. Mais quelle stupidité de les laisser ainsi sans surveillance. Tant pis, ça leur apprendra. J'allais me payer moi-même.

J'ai saisi une pierre, encore chaude de la chaleur du jour, et je l'ai soulevée péniblement. Elle était bien plus lourde que je ne le pensais, et trop grosse pour la cacher facilement dans mes bagages. Tant pis, un fragment suffira. Han! J'ai abattu la pierre sur une autre. Elle s'est ouverte en deux avec un craquement sec.

C'est alors que j'ai entendu comme un hurlement, et j'ai été projeté au sol. Je n'avais pas entendu Gus revenir. Il était sur moi, l'air enragé. Mais je suis costaud. Je me suis débattu, je lui ai flanqué un coup de poing sur le museau, puis je lui ai botté le derrière. Il a détalé en chialant jusque chez lui.

Moi, laissant la pierre, je me suis hâté de regagner mon appartement. J'ai fait mes bagages en deux temps trois mouvements et appelé un taxi. J'allais sortir quand les flics sont venus pour me coffrer.

Le voisin a dû les appeler. Au pire, on pourrait m'accuser de tentative de vol, mais... d'homicide! Que lui est-il arrivé? Une hémorragie? Une crise cardiaque? Je sentis la sueur perler sur mon front, mes mains trembler. Je respirai un bon coup, tâchai de maîtriser ma voix chevrotante.

— Écoutez, le voisin m'a attaqué et je l'ai frappé en état de légitime défense. Quand il s'est relevé, il était encore bien vivant. Ce n'est pas ma faute si... (ma voix s'étrangla).

— Vous parlez du domestique? Oh! ne vous en faites pas pour lui.

— Que voulez-vous dire? Je ne suis pas accusé de meurtre?

— Bien sûr! Mais je compte plaider l'homicide involontaire.

— Et... euh... quelle est la peine encourue sur Véga?

— Déchiquetage. Mais nous verrons cela ce soir. Au revoir, monsieur Arel.

L'écran s'éteignit... et je m'évanouis. Déchiquetage!...

O

Je croyais qu'on m'emmènerait dans une grande salle d'audience pour le procès. Mais non. J'étais toujours enfermé dans ma cellule. Seulement, l'écran subdivisé retransmettait simultanément quatre images: un juge végan (très grand et particulièrement gluant), mon avocat (digne silhouette immobile), moi-même dans un coin (l'air plutôt hagard) et enfin, dans le dernier coin...

Mon voisin!

Il me lança un regard féroce, en retroussant les babines. À ses côtés, posées sur un plateau, on pouvait voir les pièces à conviction: les pierres que j'avais frappées l'une contre l'autre, l'une en miettes, l'autre simplement écorchée.

Je bondis vers l'écran, agitant le doigt sous le museau de Gus.

— Il est vivant! m'exclamai-je. Vous voyez bien, vous ne pouvez pas m'accuser de meurtre!

— À l'ordre, s'il vous plaît! ordonna le synthétiseur vocal du juge. Maître, veuillez faire asseoir votre client.

Le jet de gaz siffla de nouveau, me repoussant sur le lit. Mon propre avocat!

— Votre Honneur, vous pouvez constater vous-même qu'il y a méprise, reprit l'avocat informatique. Comme je l'ai expliqué dans ma plaidoirie transmise à l'avance au tribunal, j'invoque à la défense de mon client des circonstances atténuantes, l'ignorance...

— Nul n'est censé ignorer la loi, trancha le juge. Toutes les formes de vie intelligentes sont sacrées, c'est le principe primordial du droit interstellaire. Y a-t-il eu des témoins oculaires du meurtre? continua-t-il en fixant la portion de l'écran occupée par Gus.

Qu'est-ce que c'était que cette histoire de fous? La gorge encore irritée par le gaz, je me retins pour ne pas injurier le juge. Gus se leva, bien vivant. Il posa la main sur la pierre éraflée.

Mon voisin enleva ses verres fumés. Tout à coup, la pierre précieuse sembla luire davantage. L'éclat se reflétait dans les grands yeux sombres de Gus. Il ouvrit la bouche et articula d'une voix soudain très ferme, puissante et claire, dont mon traducteur captait chaque syllabe:

— C'est lui, le Terrien, il a assassiné mon frère et m'a défiguré!

Autour de l'éraflure sombre, une lueur palpitante rougeoyait dans la pierre.

Je fermai les yeux, ahuri. Je suis ingénieur spécialisé dans les compresseurs ioniques, n'est-ce pas. Pas géologue. Et la galaxie est si vaste... Jusqu'à ce jour, je n'avais jamais entendu parler des pierres pensantes d'Argus II. Elles «travaillaient» au fond de la mine de Véga, capables de se mettre en résonance avec la roche mère et «sentir» les filons de minerai. Seuls leurs «chiens de garde», l'espèce à laquelle appartenait Gus, étaient capables de saisir les pensées de ces pierres et de les traduire en paroles.

Et moi, j'avais tué une pierre!

La justice est expéditive sur Véga. «Coupable!» tonna le juge. Comme dans un rêve, je l'ai entendu prononcer la sentence:

— Déchiquetage!

○

Ils ont déchiqueté mon corps en mille miettes, comme la pierre fracassée. Enlevé méthodiquement la vie à chacune de mes millions de cellules. Ils n'y vont pas de main morte sur Véga, si je puis dire.

Oh! mon bougre d'avocat avait négligé de me dire quelque chose. Juste un petit détail. Il a presque eu l'air surpris quand je lui ai hurlé que je l'ignorais.

Sur Véga, c'est seulement le corps qui est exécuté. Quand ils m'ont déchiré, je n'étais plus là. Mes pensées, je veux dire, ma personnalité, mon esprit, quoi! Avant l'arrivée du bourreau, l'ordinateur avocat m'a endormi d'un jet de gaz et a enregistré toutes mes empreintes nerveuses dans un fichier électronique qu'il a transmis au consul terrien. Lequel m'a réexpédié sur Terre.

Heureusement, j'ai un compte en banque, là-bas. Une banque de clones (de clowns, disent les malins qui ne m'aiment pas). Des biotroniciens ont réimplanté mon esprit dans mes propres cellules gardées en réserve. Ils vont faire repousser mon corps. Avec les incubateurs de croissance accélérée, j'en ai pour cinq ans à poireauter dans mon éprouvette avant de retourner bourlinguer dans l'espace. C'est long!

Les traités d'extradition stipulent que je demeurerai sur Véga *persona non grata* à perpétuité. Tu parles! Faudrait me traîner de force pour que j'y remette les pieds! Quoique... Il y a une planète encore pire... Imaginez Argus, pleine de voisins comme Gus et sa roche... Beurk! J'en ai les cellules qui tremblotent juste à y penser!

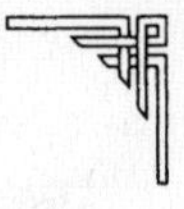

CARMEN MAROIS

Rapports de bon voisinage

Mes nouveaux voisins sont bizarres. Ils ont un je ne sais quoi d'étrange. Pourtant, à les voir, comme ça, ils ont l'air normaux.

C'est juste qu'ils me créent un malaise. Un indicible malaise que je n'arrive pas à expliquer.

Ils sont gros, mais bon, ils ne sont pas les seuls gros formats en Amérique du Nord. Ils portent tous d'horribles chaussons en *Phentex*, mais bon... Je ne les ai jamais vus avec autre chose aux pieds. En soit, il n'y a rien là d'étrange, sauf qu'ils ne portent jamais autre chose, même lorsqu'ils sortent dans la rue. Ça fait bizarre. Je me dis qu'ils ont peut-être mal aux pieds et qu'il leur est impossible de se chausser autrement. Allez savoir!

Ils sont quatre. Quatre gros. Le père et ses trois fils. Tous du même gabarit. Impossible de croire qu'ils ne sont pas de la même famille. Ils ont le même teint mat, la barbe forte, très noire, des cheveux de jais et un sourire niais, installé en permanence sur leurs lèvres charnues. Il n'y a pas de mère.

Mes amis disent qu'ils l'ont probablement mangée. Ils sont idiots. Ils ont même surnommé mes voisins les *Jurassic Park*. Comme je ne connais pas leur vrai nom, on les appelle toujours ainsi. Les Jurassic... Ils se sont installés, il y a quinze jours, dans l'immense maison d'à côté. Ils ont emménagé dans le grand logement du rez-de-chaussée.

Le père est à la retraite, mais ses fils ont l'air de travailler la nuit. Je n'en suis pas certaine car, la nuit, je dors! Je me couche très tôt. Quoi qu'il en soit, je ne vois jamais mes voisins avant quatre heures de l'après-midi. Chacun sa vie. Du moment qu'on ne me dérange pas, moi, vous savez... Et je dois à mes voisins de dire qu'ils sont extrêmement discrets. Bonjour, bonsoir: voilà à peu près à quoi se résument nos rapports.

Le problème, c'est ma chatte, Siphon.

Elle ne peut pas les piffer. Elle a peur de nos nouveaux voisins. Avant-hier, elle est revenue à la maison, terrifiée. Je la croyais poursuivie par un chien ou un écureuil (ma bête n'est pas très brave, je l'avoue). Je suis sortie pour voir ce qui en était. Et je suis tombée nez à nez avec un des Jurassic. Il était là, dans l'escalier de secours, figé dans sa course. Ses yeux brillaient d'une étrange lueur qui s'est aussitôt éteinte dès qu'il m'a vue. Mais elle n'a pas disparu assez vite, cependant, pour que je n'aie le temps de l'apercevoir.

Le gigantesque voisin m'a souri, bêtement. Puis il a marmonné quelques paroles incompréhensibles avant de rebrousser chemin. Il a dévalé les marches quatre à quatre et j'ai entendu claquer la porte de sa cuisine. En quelques secondes, il avait disparu. J'ai été surprise de la rapidité et de l'agilité d'un homme de cette corpulence.

Je ne savais trop que penser. Je restais là, interdite, les yeux fixés sur l'escalier de fer en colimaçon, à présent vide. Malgré moi, j'ai frissonné. Ce frisson de dimension tellurique, incoercible, m'a secoué tout le corps. Le poil de mes avant-bras s'est hérissé. Je ressentais un drôle de chatouillis au bas de la nuque. Je comprenais la terreur de ma chatte. J'avais moi aussi, l'espace d'une seconde, senti la peur. Une peur viscérale, animale. De celles qui collent au ventre et le nouent. Une peur qui augmente les palpitations cardiaques et coupe les jambes.

C'était il y a deux jours.

Depuis, ma bête ne veut plus remettre le nez dehors. Elle passe ses journées réfugiée sous le lit, les yeux agrandis par la peur. Elle, de nature si calme et si placide, est devenue excessivement nerveuse et sursaute au moindre bruit. Elle a même griffé Josie-Anne, ma meilleure amie. Depuis, celle-ci ne cesse de me tarabuster:

— Tu dois t'affirmer, me répète-t-elle quasiment tous les jours, lors de notre coup de fil rituel.

Facile à dire!

— Il y a dix ans que tu habites cet immeuble, me serine-t-elle. Tu ne vas pas laisser ces dinosaures t'empoisonner la vie!

Ben non!

— Descends les voir, me houspille-t-elle, mets le poing sur la table et les points sur les i.

Sous quel prétexte?

J'ai décidé de débrancher mon téléphone.

Josie-Anne m'est devenue plus insupportable que mes Jurassic-voisins. Mais au fond, elle a raison: depuis l'arrivée de ces nouveaux locataires, il y a quinze jours, ma chatte est devenue parano et ma meilleure amie, une plaie. Il y a quelque chose qui cloche dans tout ça. Jusqu'ici ma vie était paisible, rangée, réglée comme du papier à musique, et voilà que d'étranges voisins en pantoufles de *Phentex* viennent tout bousiller. Ça ne peut pas durer.

O

Eh bien, ça y est!

Les Jurassic-machins m'ont fourni l'occasion que j'espérais. Un des gars est venu m'inviter à souper chez eux, samedi prochain. J'ai accepté. Non pas que ça m'enchante, mais il faut que j'en aie le cœur net.

Mes voisins ont vraiment quelque chose d'étrange, mais je n'arrive pas à mettre le doigt sur ce que c'est. Le souper de samedi va peut-être me permettre de le découvrir.

— Qu'est-ce que j'apporte? ai-je demandé à Godzilla.

— Vous-même, ça suffira, m'a-t-il répondu avec son éternel sourire idiot.

Alors voilà! Je suis prête. J'ai mis ma plus belle robe d'été et chaussé des sandales confortables, car il fait une chaleur du diable. La journée a été écrasante. Il y a un je ne sais quoi d'insupportable dans l'air. Une espèce de fébrilité quasi palpable. Peut-être est-ce à cause de la lune qui, cette nuit, sera pleine.

Ma chatte s'est réfugiée toute la journée au fond du placard de ma chambre. Elle a refusé toute nourriture. Ça doit être la chaleur. J'ai essayé de l'approcher en lui parlant doucement, mais elle a grogné. Je n'ai pas insisté. Je l'ai laissée à son inexplicable mauvaise humeur. Mais je déteste la voir ainsi. Je ne reconnais pas ma petite Siphon, celle que j'ai adoptée à l'âge de huit semaines. Ça me fait mal au cœur. Mais après le dîner de ce soir, j'ai bon espoir que tout rentre dans l'ordre.

Mes voisins habitent un appartement tout ce qu'il y a de plus normal. Je m'attendais à y trouver les murs peints en rouge sang de bœuf, avec des gargouilles grimaçantes accrochées aux angles des murs. Mais non. Les murs sont peints en blanc, et, dans le salon, il y a la reproduction d'une danseuse espagnole suspendue au-dessus du divan colonial. Comme je suis assise sur ce divan, j'ai sous les yeux un tout autre tableau: les quatre Jurassic se sont installés en face de moi. Ils ont pris place dans de monstrueuses chaises berçantes, rangées en demi-cercle devant la porte du salon.

Ces chaises valent à elles seules le déplacement! Je n'en ai jamais vu de semblables. Les montants sont de véritables troncs d'arbres. Je crois que mes voisins les ont fabriquées sur mesure, car personne ne songerait à usiner de tels meubles. Ces chaises sont à la taille de ces géants venus s'installer juste à côté de chez moi.

— Prendriez-vous quelque chose? me demande le père.

— Une bière, si vous en avez.

— Une bière? me dit-il avec cet étrange sourire, si caractéristique de cette curieuse famille. Bien sûr. Nous prendrons la même chose, n'est-ce pas?

La bière est fraîche et mousseuse, comme je l'aime. Un peu amère, peut-être. Nous bavardons. Je ne saurais dire combien de temps, car j'ai soudain l'impression que celui-ci n'existe plus. Je regarde mes quatre voisins dont les chaises (comment ne l'ai-je pas remarqué plus tôt?) constituent une véritable barrière entre moi et la porte du salon.

Les quatre hommes se bercent lentement, un large sourire sur les lèvres. Que disent-ils? Je ne sais trop. Le temps qu'il fait. La vie qui n'est plus vraiment ce qu'elle était. Des banalités. Des généralités. Des touts. Des riens. Je suis hypnotisée par leurs lèvres en mouvement, leurs bouches qui s'ouvrent et se referment.

Mais pourquoi parlent-ils tous en même temps?

J'essaie de lire sur leurs lèvres, mais les mots proférés n'ont aucun sens. En fait, mes voisins ne parlent pas, ils psalmodient. Une mélopée étrange, aux mots archaïques, incompréhensibles. Le langage est guttural, plus animal qu'humain. Un charabia qui donne froid dans le dos.

Néanmoins, la sueur coule sur mon front. Je veux lever la main pour l'essuyer, mais mon bras refuse de bouger. Je suis clouée au divan. J'abaisse les yeux et je remarque alors que le verre que je tenais à la main est tombé. Je ne sens plus mon corps. Celui-ci refuse de m'obéir. Seuls mes yeux semblent encore capables de bouger.

Il fait de plus en plus chaud, il me semble.

La sueur me brûle les yeux et les embue. Je voudrais tellement pouvoir m'éponger le front. Je ne suis plus certaine de pouvoir me fier à mes sens. Est-ce que je rêve ou si je vois véritablement cette scène étrangement impossible? Mes quatre voisins se balancent toujours dans leurs invraisemblables chaises. Ils continuent de psalmodier leur immonde charabia. Leurs lèvres entrouvertes découvrent des dents blanches, longues et pointues. Mais c'est impossible. Jamais ils n'ont eu ce sourire de loup. Je rêve.

Ce doit être la chaleur.

Mais la chaleur n'a jamais empêché quelqu'un de bouger.

Et soudain, je songe à la bière. Un peu trop amère... Je suis certaine qu'ils y ont mis quelque chose. Une drogue, un poison. Je pense brusquement à Syphon réfugiée au fond du placard, et je frémis. J'ai peur. Je voudrais crier, prendre mes jambes à mon cou et m'enfuir en hurlant. Mais je reste clouée au divan, complètement paralysée. J'entends la danseuse espagnole qui tournoie au-dessus de ma tête en faisant claquer ses castagnettes.

CLAC! CLAC! CLAC! CLAC! CLAC! !

Non, ce n'est pas la danseuse aux couleurs trop violentes qui danse. Ce claquement, c'est autre chose. J'abaisse les yeux vers le plancher et je vois les pieds de mes voisins qui martèlent le sol.

CLAC! CLAC! CLAC! CLAC! CLAC!

De grosses griffes noires sortent à présent de leurs pantoufles, s'insinuant à travers les mailles du *Phentex*.

CLAC! CLAC! CLAC! CLAC! CLAC!

C'est le bruit de la corne épaisse, tapant contre le plancher, que j'entends.

Impossible de fuir, malgré la terreur que je ressens. Et cette mélopée qui continue, rythmée par le claquement de leurs griffes sur le plancher. J'ai l'impression de devenir folle. Un des voisins, le plus jeune des trois fils, se lève. Je l'entends sortir du salon. Il ouvre une porte. Tous mes sens sont aux aguets. Il descend à la cave. L'escalier craque de manière sinistre, comme dans les pires films d'horreur.

Il remonte au bout d'un moment, avec une bière.

Pas une bière fraîche et mousseuse comme je les aime. Mais un cercueil grossier. Une boîte en pin, dépourvue de couvercle. Sans cesser de psalmodier, les quatre hommes me déposent délicatement dans le cercueil.

Impossible de fuir.

Impossible d'appeler.

On me descend à la cave. L'escalier craque. Je sens une odeur de moisi, de renfermé, de terre humide. J'entends crépiter un grand feu. Il fait une chaleur insupportable dans cette cave.

Je me souviens brusquement de l'invitation à souper:

«Qu'est-ce que j'apporte?» avais-je bêtement demandé à mon voisin.

«Vous-même, ça suffira!» m'avait-il répondu sans hésiter.

Non, mes voisins ne sont pas des gens ordinaires. Ce sont des ogres....

— Voilà! dit le père. Laissons-la mariner dans la bière pendant huit jours. Ensuite, nous la mangerons.

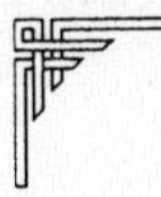
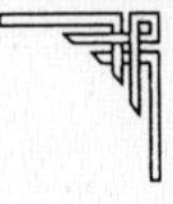

JACQUES PLANTE

Virtualité réelle

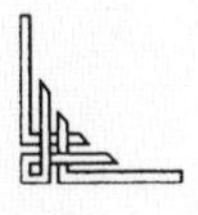
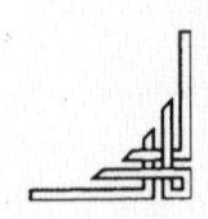

—... **E**t en terminant, je veux citer un inconnu qui a dit: «L'Internet procure une personnalité aux ordinateurs en permettant aux gens de se parler dans un univers virtuel.» C'est ainsi que moi, Philippe Gendron, je termine mon exposé devant ma classe. Et en me foutant complètement de la note que j'aurai. Au moins, le moment est passé. Aucune importance si personne n'a compris de quoi je parlais.

Le pire moment d'un exposé, c'est la seconde qui précède les premiers mots. Puis le doute à propos du niveau de la voix. Il y a toujours un idiot qui lève la main pour se plaindre qu'il n'entend pas. Ce qui fait qu'on hausse le ton en se sentant ridicule. Les joues en feu. Je hais ce moment. Quand j'étais enfant, la timidité me faisait chuchoter. J'ai tout de même une consolation, ma voisine n'est pas dans ma classe. Je n'ai jamais réussi à lui parler. La timidité. Si jamais j'ai un oral à faire devant elle, je ne vais pas à l'école.

Chez moi, je dois partager l'ordinateur. Il est à moi chaque jour de 16 h 30 à 18 h.

Puis, de 19 h à 21 h. J'ai tout juste le temps d'envoyer une vingtaine de messages avant d'aller discuter du groupe Green Day dans la page des visiteurs.

Je commence à être très connu sur ce site de l'Internet. Et j'y perfectionne mon anglais. Mon père en est fier, mais moi, je m'en fous. Ce qui m'intéresse, c'est de parler à mes amis. Mes amis virtuels, bien sûr. La majorité d'entre eux parlent anglais. Tous portent un surnom. Le mien, c'est «Billie».

Les discussions sont quelquefois très animées. Surtout lorsque «Hackrat» est là. En voilà un à qui l'espace virtuel a permis de se défouler. Il déteste Green Day et il en profite pour insulter tout le monde. Terré quelque part en Oregon, il se prend pour un pirate et menace de nous envoyer des virus par courrier électronique: "*I hate Green Day and I'm gonna wipe out your hard disks!*"

Il y a «Shacker», qui lui, arrive sur le site en disant n'importe quoi. Hier, il a sauté dans la discussion en annonçant que le groupe se séparait. Personne ne l'a cru. Il y a aussi «Cat». Elle habite à Montréal. Je parle souvent avec elle. Pour ce qui est de la musique, on a exactement les mêmes goûts.

Puis, il y a Liana. Je crois que c'est son vrai nom. Elle n'a que dix ans et habite en

Indiana. Elle adore Green Day alors, tous les jours, chacun prend le temps de lui envoyer un petit mot.

À l'heure prévue, je m'installe à l'ordinateur avec un sandwich.

— *Hello?* Il y a quelqu'un?

— *Green Day forever!!!*

Celui-là, c'est Victor. Il est très drôle.

— Cat? Tu es là?

On dirait qu'il y a plein de monde sur le site.

— Salut Billie! Je suis ici! J'étais en pleine conversation avec un nouveau sur le site. C'est un vieux, il a trente-deux ans. Mais il dit qu'il adore le groupe. Il prétend même avoir quatre t-shirts et une casquette de Green Day qu'il a dénichée en Californie.

— Comment a été ta journée, Cat?

— Comme d'habitude! Et toi?

— Moi, c'était l'enfer! J'avais un oral. J'ai parlé de l'Internet. Tu ne peux pas savoir. L'enfer, je te dis! Quelle chance que ma voisine ne soit pas dans ma classe!

— Ta voisine, quelle voisine? Tu ne m'en as jamais parlé.

Qu'est-ce que j'ai fait là? J'ai tapé sans me rendre compte. Elle n'arrêtera plus de me poser des questions.

— Ce n'est rien, Cat. Oublie ça. Est-ce que tu as beaucoup de devoirs aujourd'hui?

— Qu'est-ce qui te prend, Billie? On ne va tout de même pas se mettre à parler des devoirs. Qu'est-ce qu'elle a ta voisine?

Ça y est! Elle n'arrêtera plus. Bon, tout ça c'est virtuel. Qu'est-ce que je fais? Je laisse tomber Cat pour un bout de temps?

— Hé, Billie! Vous être en amour avec le voisine de toi?

— Ne te mêle pas de mes conversations, Shacker. *It is not your onions!*

— Billie? C'est moi, Cat. Débranche-toi, on se retrouve sur Brightcom.

Et voilà. J'ai trop parlé. Comment vais-je m'en sortir? Elle va me talonner avec mes histoires de voisine. Quel merdier! C'est de ma faute. Parler de ma voisine, c'est pire qu'un oral. D'un autre côté, je n'ai pas envie de laisser tomber Cat. Elle ne voudra peut-être plus me parler. L'heure? 16 h 50. Elle sait que je suis branché jusqu'à 18 h. Et que je n'ai aucune raison de fermer l'ordinateur. Puis, si je me défile, ce sera louche. Tant pis. J'y vais. Je trouverai bien un moyen de détourner la conversation.

Brightcom, c'est un superprogramme grâce auquel on relie deux ordinateurs. Il suffit d'avoir un modem. On peut ainsi se parler tranquillement, sur une page blanche. Très rapidement, on peut voir apparaître, lettre par lettre, ce que l'autre écrit.

— Cat? Tu es là?

— Oui. On est plus tranquilles ici, n'est-ce pas?

— C'est mieux, oui. Est-ce que tu écoutes de la musique présentement?

— Pas vraiment, juste la radio. Alors, ta voisine, «vous être en amour avec voisine à toi?»

— Shacker dit n'importe quoi. Laisse tomber, Cat.

— Pourquoi tu n'aurais pas voulu qu'elle te voie faire un oral?

— Elle me gêne, c'est tout.

— Tu es amoureux d'elle?

— Aaaah! Pourquoi les gens posent-ils toujours autant de questions? Oui, je l'aime.

— Et elle, elle t'aime beaucoup?

— Elle ne sait pas que je l'aime. C'est tout juste si elle sait que j'existe. On se croise sur le trottoir et à l'école, mais on ne s'est jamais parlé. On peut discuter d'autre chose, Cat?

— Qu'est-ce que tu lui trouves?

— Bof! Elle a l'air gentille. Avec ses amis, on dirait qu'elle rit tout le temps. Puis elle est tellement belle. Les rares fois que nos regards se sont croisés, je me suis senti mal... Il n'y a plus rien à dire, Cat. Est-ce que...

— Pourquoi n'essaies-tu pas de lui parler, Billie?

— Quoi? Non, je ne pourrai jamais. Je me sentirais ridicule. Et maintenant...

— Laisse-moi te conseiller. Après tout tu m'as bien aidée quand j'ai eu des problèmes avec Mathieu.

— Ah oui? Je t'ai tellement bien aidée que vous ne vous parlez plus.

— Non vraiment! Juste le fait de te raconter tout sur Brightcom, ça m'a fait voir clair dans tout ça.

— C'est peut-être vrai. Mais tu parles très facilement, toi.

— Si tu me fais confiance, tu peux essayer toi aussi, Billie.

— Il n'y a pas beaucoup à dire, Cat, euh... je l'aime comme un fou. À la cafétéria, je m'arrange pour m'approcher d'elle. Chaque fois, j'en ai les oreilles qui bourdonnent. Et elle a un parfum doux. Ça me rend fou. Si elle me salue, j'ai les genoux qui tremblent.

— Mais tu disais qu'elle n'avait pas l'air de savoir que tu existes ou quelque chose du genre. Maintenant, tu dis qu'elle te salue.

— C'est une façon de parler, Cat. Elle sait qui je suis, nous sommes voisins. Mais ça s'arrête là.

— Écoute bien et promets-moi de faire ce que je te dis.

— Oh non! Je sais ce que tu veux. Pas question.

— Laisse-moi au moins te suggérer quelque chose.

— Quoi?

— Essaie d'aider le hasard. Voilà ce que tu vas faire. À la cafétéria, mets-toi en ligne derrière elle. Sans le faire «exprès», touche-la. Je ne sais pas, moi, touche son épaule avec ton bras. Alors tu t'excuses, elle te reconnaît, et puisque vous êtes voisins, la conversation s'engagera. Tu n'as qu'à te laisser aller. Si tu n'as pas le choix de lui parler, tu es assez intelligent pour trouver quelque chose d'intéressant à lui dire. Promets-moi que tu vas le faire.

— ...

— Billie? Qu'est-ce que tu fais?

— Je suis là.

— Tu promets?

— Ça a l'air facile comme ça.

— Bien sûr que c'est facile. Le pire qu'il puisse arriver, c'est qu'elle te parle. Et c'est ce que tu veux, non?

— Oui, c'est ce que je veux, Cat. Mais...

— Alors promets!

— Bon. C'est promis.

○

Promis. C'est promis. Je vais arrêter de faire des promesses. Cat est quand même gentille de vouloir m'aider. Mais tout ça, c'est ridicule. Non, c'est moi qui suis ridicule. Son idée était bonne finalement. Je suis malchanceux. Ah, puis tant pis! Vive la vie virtuelle!

— *GREEN DAY RULES THE WORLD!*

— *Hello, Liana, how are you today?*

— *Hello, Billie, Cat says that you're in love with your neighbor. But it's a secret.*

— *I will talk to you tomorrow, Liana. Bye!* Cat! Tu es là?

— Salut Billie! Oui, je suis...

— Je veux te parler sur Brightcom.

— Bonjour quand même! Je te rejoins.

"*You're in love with your neighbor*" Je vais lui en faire, moi, des "*neighbor*". Pourquoi pas l'annoncer à la télévision?

— Billie?

— Ah! Te voilà! Qu'est-ce qui te prend de dire à tout le monde que...

— Hé, attends! Je n'en ai parlé qu'à Liana.

— Sur le site de Green Day! Tout le monde peut lire!

— Aaaah! C'est virtuel tout ça. Arrête de t'en faire. Dis-moi plutôt si mon truc a marché avec ta voisine.

— Bien, je dois admettre que ton idée était bonne.

— Tu lui as parlé?

— Oui, je lui ai parlé à la cafétéria. En fait, je suis passé près d'elle et... je me suis excusé.

— Et elle, qu'est-ce qu'elle a dit?

— Rien. Elle ne s'est rendu compte de rien.

— Donc, ça n'a pas fonctionné.

— Non, mais tu sais, Cat, quand j'étais près d'elle, c'était comme... plus fort que d'habitude. Je l'aime vraiment, tu sais.

— Billie, j'ai pensé à un autre truc hier soir.

— Ah oui? Qu'est-ce que c'est?

— Ce sera peut-être plus difficile pour toi.

— Vas-y, explique!

— Le moyen infaillible, c'est d'aller sonner à sa porte.

— Quoi? Tu es folle! Comment...

— Billie! Laisse-moi t'expliquer. J'ai déjà essayé moi-même et tu peux être sûr que ça fonctionne à tous coups!

— Mais si moi je le fais, ça ne fonctionnera...

— Aaaah! C'est très simple. Prépare d'abord une phrase que tu te répètes pour ne pas perdre du temps à penser.

— Quelle phrase? Je n'ai absolument rien à lui demander.

— N'importe quoi. Tiens! Tu diras: «Est-ce que je peux emprunter ton livre de maths?»

— Mais que veux-tu que je fasse avec son livre de maths?

— Aaaah, Billie! Tu le fais exprès!

— Bon, bon, ça va! Qu'est-ce que je fais après?

— Elle va te faire entrer chez elle. C'est tout. Et la conversation va s'engager. TU N'AS QU'À TE LAISSER ALLER! Promets maintenant!

— Bof!... c'est promis.

— Parfait! Vas-y maintenant, je t'attends sur Brightcom.

— Quoi? Tout de suite?

— Oui! Si tu n'es pas revenu dans... disons dans dix minutes, c'est que ça fonctionne. Tu n'auras qu'à venir m'annoncer la nouvelle sur le site de Green Day, ce soir. Allez! Tu as promis.

O

Promis... Promis... Je n'ai pas débranché Brightcom, parce que je sens que je vais revenir dans trente secondes. C'est quoi déjà? «Est-ce que je peux emprunter ton livre de maths?» Et si ça marchait. «Est-ce que je peux...» Je hais cette sensation. J'ai les genoux qui tremblent. «Est-ce que je peux...» Surtout, ne pas regarder les fenêtres. Si elle me voit venir, je vais mourir. «Est-ce que je peux...» J'ai l'impression de marcher comme un robot ivre. «Est-ce que je peux...» Bon. Et maintenant, la sonnette. Ding dong!

Ça y est. S'il te plaît, pense à moi, Cat. Oh non! Cat! Si son père ou sa mère vient ouvrir, qu'est-ce que je fais? Je ne sais même pas son...

— Oui? Je peux t'aider?

C'est elle. Elle est tellement... elle! Je vais défaillir. Elle est tellement... là!

— Salut! C'est moi que tu veux voir?

— Ah... euh... je... est-ce que je peux emprunter ton livre de maths?

Qu'est-ce que j'ai fait? J'ai dit quoi? Pourquoi elle me regarde comme ça? Elle a le teint tout pâle! Qu'est-ce qui se passe?

— C'est toi... Billie?

— CAT?

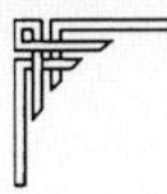
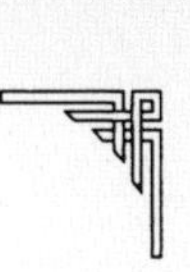

JOSÉE PLOURDE

Prenez garde au chien

J'habite en appartement. À Montréal. Bien sûr, je ne demeure pas seul; j'ai quatorze ans. Je partage avec mes parents cinq pièces communes. La sixième, c'est ma chambre. Ils ont eu la bonté de me garder la plus grande. J'y ai fait à la fois ma salle de musique, mon salon, mon boudoir. Excellent endroit pour bouder, le boudoir. Depuis peu, je ne suis plus seul dans ma chambre. J'ai un chien. Je devrais plutôt dire: je partage ma chambre avec un représentant de la race canine presque plus humain que les humains. La manière dont il est arrivé ici au début de la semaine, est incroyable, sinon inracontable.

O

Lundi. Je reviens de la poly plus tôt que prévu. Une alerte à l'ammoniac a forcé l'évacuation des «pauvres étudiants désœuvrés». J'arpente la rue Sainte-Catherine, trop content de mon sort, sans savoir ce qu'il me réserve. Je viens de «faire les téléphones» de la station Berri, ce qui signifie, pousser du doigt la petite porte du réceptacle à pièces afin de vérifier si un utilisateur distrait n'aurait pas oublié de reprendre sa monnaie. Bingo! Sur douze téléphones, cinq ont craché un vingt-cinq sous crasseux mais sonnant.

Une piastre et quart, c'est loin d'être une fortune, mais on se sent toujours riche avec de l'argent trouvé. Quand un sans-abri m'interpelle: «As-tu de l'argent, pour manger?», pour la première fois de ma vie, je plonge la main dans ma poche du geste large de celui qui en a. En lui donnant la grosse somme de cinquante sous, je regarde dans les yeux le vieux bonhomme pouilleux. Et, surprise! il est plutôt jeune, plus jeune que mon père... Ces yeux-là ne sont ni vieux, ni perdus, ni embarrassés. Ils sont jeunes, vifs, pétillants et crasses à souhait. C'est justement d'un souhait que l'homme me remercie: «Le sort te revaudra ça. Que ton prochain souhait se réalise aussitôt fait!»

Je n'en reviens pas. Mes parents ont tartiné mon sommeil d'enfant de contes de fées, où les vœux sont plus sucrés que les chaussons dans un MacDo. Mais cet homme m'offre un souhait, sans lampe magique ni formule excentrique, et prétend quand même pouvoir réaliser un de mes vœux. Je lui fais un clin d'œil pour lui signifier que je comprends son humour. Tout de même, je suis plus sceptique que ça! Je rigole et continue mon chemin, tel un Aladin urbain, rouli-roulant vers mon havre, ma chambre.

Il n'est que quatorze heures trente, mes parents ne sont pas près de revenir. Après avoir vidé trois verres de lait et ajouté un peu d'eau dans le carton pour camoufler mon forfait, j'engouffre tout net deux minigâteaux au caramel. Enfin rassasié, j'opte pour un après-midi de musique. Pas les mélodies mielleuses des madames au foyer, mais MA musique: choc, vitriol et, pourquoi pas, ammoniac!!!

C'est en remettant pour la sixième fois *Claque ton temps* de Gaston et les Gaffes que me parvient, malgré le vacarme de la chanson, un violent tambourinement à la porte d'entrée.

Qui peut tenter de défoncer notre porte avec autant d'ardeur? Pour accéder au hall commun à tous les appartements de l'immeuble, il faut une clé. Il ne peut s'agir que d'un voisin. Ayoye! Je baisse le volume de la musique en songeant que ça pourrait bien être le *nouveau* voisin. Il est là depuis huit mois, mais on ne le voit jamais. Ma mère suppose qu'il travaille de nuit, ou que c'est un ogre. Ce n'est guère rassurant, mais c'est le genre de fantaisie qu'entretient ma mère. De plus, mon père, le seul à avoir croisé l'ogre, l'a décrit ironiquement comme un «gentil boxer».

Craignant le pire, j'ouvre, manquant de recevoir sur la gueule un des poings qui martelaient toujours la porte.

C'est pire que je ne le craignais.

Je déduis aussitôt que c'est lui. Il est immense. Large et grand. Et encore, il est un peu voûté. Il porte uniquement le bas d'un survêtement, taché de peinture. Son élégant habillement met en évidence son torse nu, épais et scandaleusement poilu. Je n'ai que deux poils follets sur la poitrine et j'envie tout ce qui ressemble de près ou de loin à une toison. Lui, c'est un curieux mélange de bison et de Cromagnon. Il trépigne, roulant des yeux. Puis finalement, une voix de Néandertal sort de sa gorge: « Hé, j'travaille de nuit, moi!»

Cette phrase toute simple contient une telle menace et, je suis pris d'une telle frayeur qu'il me punisse d'avoir troublé son sommeil de bête, que je me prends à «souhaiter» qu'il soit plutôt un gentil boxer. Alors qu'il s'avance vers moi, ses poings dressés comme des massues, prêt à mettre à exécution la menace contenue dans sa voix, un fracas de tonnerre se fait entendre accompagné de fumée... et comme dans les pires films de Walt Disney, mon souhait se réalise.

Le méchant voisin est devenu un gentil boxer.

○

La suite a été moins facile. J'ai passé le reste de l'après-midi dans un silence de mort avec ce chien étrange dans ma chambre, tentant de me remettre du choc que toute cette histoire m'avait causé. Résultat: deux gâteaux au caramel agglutinés dans mon estomac.

Au souper, j'ai dû tisser fil par fil une histoire vraisemblable pour expliquer la présence du chien et convaincre mes parents de garder l'animal. Et j'ai perdu le reste de la soirée à chercher l'homme qui, en m'offrant ce vœu, m'avait mis dans pareille situation. Jamais retrouvé! Pffft... Envolé... comme mon vœu.

Il a fallu trois nuits pour que les collègues du voisin signalent sa disparition. Avec

Henri, mon gentil boxer, j'ai participé aux recherches, sachant pertinemment que nous n'allions rien trouver.

À la maison, mon père a insisté pour poser sur la porte un avertissement: «Prenez garde au chien.» C'est bien inutile. Henri est le chien le plus doux que je connaisse. Il est la preuve qu'un mauvais voisin peut faire un très bon chien. Il gronde un peu, seulement quand j'écoute *Claque ton temps* de Gaston et les Gaffes.

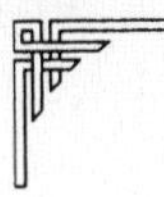
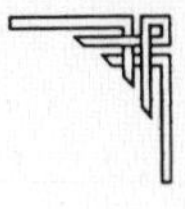

ROGER POUPART

Mon grand chimpanzé de voisin

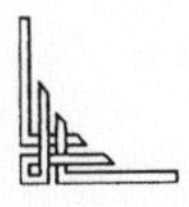
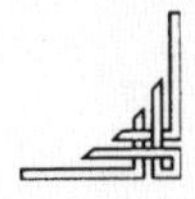

Mon voisin d'à côté est un poète. Grand et mince. L'été, il se promène torse nu dans son appartement. Son abdomen est couvert de poils. Voilà pourquoi je l'ai baptisé le grand chimpanzé.

Vous riez? Cela n'a rien de drôle. Ça existe et ça vit pour de vrai, les poètes, avec ou sans poils sur l'abdomen. Mon voisin écrit des textes qu'il publie dans de petits recueils imprimés à quelques centaines d'exemplaires. C'est le lot de la plupart des poètes. Comment fait-il pour payer son loyer? Je ne le sais pas. Mais, chose certaine, il est bien difficile de devenir millionnaire en pratiquant ce genre de littérature ou, du reste, quelque forme de littérature que ce soit.

Comment je le sais? Ce n'est pas mon voisin qui me l'a appris. Il ne m'adresse jamais la parole. Ni à moi, ni à personne d'autre, que je sache. C'est un artiste, qui porte en lui une grande œuvre. Comme tous les artistes.

Je connais un peu les métiers de l'écriture parce que je suis moi-même journaliste, spécialisé dans les affaires économiques. Taux de change, taux d'intérêt, stagnation de la création d'emplois, indice des prix à la consommation, chute du produit intérieur brut, toutes ces expressions obscures et rebutantes pour le commun des mortels n'ont aucun secret pour moi. Je fais mes choux gras des difficultés économiques qui frappent mes contemporains.

O

De la fenêtre de ma cuisine, je peux voir à l'intérieur de l'appartement de mon voisin. C'est souvent ainsi en ville, où les maisons sont tassées les unes contre les autres. Pour l'intimité, ce n'est pas terrible. Mais pour le divertissement, il n'y a rien de mieux.

Lorsque je fais la vaisselle, chose qui m'arrive à l'occasion quand ça devient vraiment indispensable, je vois mon voisin assis à la table de sa cuisine. Lorsqu'il déjeune, je sais quelle est sa marque de céréales préférée. S'il regarde la télé, je sais quelle chaîne il préfère syntoniser. Et quand, le soir venu, il s'installe, torse nu, devant une pile de papier, ses poèmes sans doute, je le vois méditer et, assez fréquemment, il choisit ce moment pour se curer le nez. Est-ce tout ce que lui inspirent ses vers? Décevant. Il faudrait bien que je me tape un de ses recueils une bonne fois pour voir si ce qu'il écrit vaut la peine d'être lu.

Si je me fie à la critique littéraire du journal où je travaille, la réponse est NON. En majuscules.

La critique de son dernier recueil n'a pas été tendre. Mon pauvre voisin s'est même fait écorcher vif. Pire, il s'est fait lapider sur la place publique avec des pierres aux dimensions de boulets de canon.

La critique littéraire du journal s'appelle Martine Rouleau et elle a hérité du surnom de «Rouleau compresseur». Ce surnom lui va comme un gant et convient aussi bien à son intellect qu'à son physique.

Le «Rouleau compresseur» reprochait à mon voisin d'avoir publié «une plaquette sans aucun intérêt, rédigée dans un français approximatif, où l'imagination brille par son absence». La Rouleau concluait son papier en proclamant qu'elle avait déjà eu le déplaisir de lire d'autres recueils du même auteur, expériences qui lui avaient toujours semblé pénibles. Elle espérait beaucoup ne plus jamais avoir à le faire. «Prions le ciel que l'auteur ne récidive plus ou, si l'envie lui en prend, que son éditeur manifeste cette fois-ci plus de vigilance afin d'éviter la parution d'une autre de ces œuvres condamnées d'avance à l'oubli instantané.»

Et vlan! Voilà ce qu'on appelait dans le jargon du métier une critique assez vache, merci.

Je ne connaissais pas personnellement mon poète de voisin, mais j'avais été peiné pour lui. Je savais que les auteurs, même ceux qui prétendent le contraire, se réjouissent toujours des mauvaises critiques dont sont victimes les autres. Le monde littéraire est un lieu de vive compétition. Sous des dehors souvent bohèmes s'y cachent des gens à peu près tous dévorés par la même forme malsaine d'ambition. Ils convoitent les mêmes prix, les mêmes bourses, les mêmes honneurs, la même postérité. Ils veulent devenir aussi riches et célèbres que Stephen King, mais en produisant des œuvres infiniment plus profondes et plus philosophiques.

Évidemment, ils se défendent de penser ainsi. «Un tel est peut-être comme ça, mais sûrement pas moi», songent-ils. Mais dans le fond, le succès des autres leur donne la nausée. Leurs échecs les remplissent d'un bonheur fugitif, mais intense.

Mais revenons à Martine Rouleau. Pour avoir échangé avec elle à l'occasion de quelques cocktails ennuyeux au journal, je savais qu'elle était une pimbêche, imbue d'elle-même, obnubilée par la parcelle de pouvoir qu'elle croyait exercer sur la communauté littéraire. Ai-je employé le mot «échangé»? Non. On n'échangeait pas avec la Rouleau, on subissait ses opinions. Malheureusement, certaines personnes, dont la limace qui nous servait de directeur des pages culturelles, accordaient une quelconque importance à ses élucubrations. De telle sorte qu'elle continuait de terroriser, semaine après semaine, des auteurs sans défense et sans droit de réplique.

O

Après la critique dévastatrice, je me suis mis à observer les agissements de mon voisin de façon plus assidue. Est-ce que cela faisait de moi un voyeur? Pas vraiment. Je veux dire par là que je ne planifiais pas mes séances d'observation. Elles ne survenaient que lorsque je faisais la vaisselle.

Avant mon poète, j'avais eu pour voisine une jeune étudiante. Un été de canicule, elle avait pris l'heureuse habitude de se promener à moitié nue dans son appartement. Cet été-là, croyez-le ou non, jamais une assiette sale ne traînait dans mon évier. J'étais devenu un homme de maison ultra-efficace. La fin de la canicule et le déménagement de ma voisine avaient mis un terme à cet excès de zèle. La vaisselle sale s'empilait à nouveau jusqu'au plafond.

O

Il m'arrive de souffrir d'insomnie lorsqu'un article me donne du fil à retordre ou qu'un patron me met les nerfs en boule. Je me rends alors à la cuisine pour me servir un grand verre d'eau. Une de ces nuits, j'ai vu de la lumière dans l'appartement du voisin. Cherchait-il l'inspiration chez les muses de la nuit, ces créatures mythiques si chères aux poètes? C'est ce que je croyais au premier abord.

Je me trompais.

J'ai éteint la lumière pour éviter d'être vu et je me suis caché pour continuer ma séance d'observation. Mon voisin s'était acheté une arme. Un revolver.

Torse nu et assis à la table de cuisine, il manipulait l'arme avec soin. De toute évidence, il en était à ses premières armes... dans la manipulation de celle-ci. Il a posé le revolver sur un papier journal pour mieux l'observer. S'agissait-il du journal où je travaillais? Je n'aurais pu le jurer, vu la distance, mais il me semblait reconnaître la typographie de la page frontispice du cahier culturel du journal. Une photo de Martine Rouleau apparaissait-elle en première page? Peut-être, mais encore là, difficile d'être catégorique.

Mon voisin s'est plongé dans la lecture du journal, avant de recommencer son manège avec l'arme. Il a ensuite quitté la pièce. Lorsqu'il est revenu quelques instants plus tard, il a déposé une boîte métallique sur la table de la cuisine. Elle contenait des munitions. Des balles qui brillaient sous la lampe. Il en a aligné quelques-unes, en équilibre sur le papier journal. Puis, il s'est exercé à charger et à décharger l'engin. Ça m'a donné des frissons. Dans le silence de la nuit, j'ai entendu distinctement le bruit du mécanisme de l'arme. J'ai voulu m'appuyer sur le comptoir pour retrouver mon calme. Mais en faisant ce geste, j'ai fait basculer mon verre d'eau par terre.

CRASH!

Le verre s'est fracassé contre le sol. Alerté par le bruit, mon voisin s'est approché de la fenêtre. Il a regardé en direction de mon appartement. Je me suis caché sous le comptoir de la cuisine. Si j'avais pu, j'aurais préféré disparaître complètement. Mon poète de voisin était armé. Qui sait? Même les poètes peuvent être dangereux.

Quand je me suis relevé, il avait éteint la lumière. Ma séance d'observation venait de se terminer en catastrophe. Mais je me suis bien promis de souffrir à nouveau d'insomnie, plus tard dans la semaine. En essayant d'être moins bruyant la prochaine fois.

○

Les deux ou trois jours suivants, j'ai réglé mon réveil à deux heures du matin, histoire de ne rien rater des allées et venues de mon grand chimpanzé de voisin.

Malheureusement, ce fut en vain. La lumière de la cuisine demeurait obstinément éteinte. Mon voisin se tenait tranquille. Impossible de savoir ce qu'il fricotait.

Je dormais de plus en plus mal. Le lendemain, au journal, il m'arrivait de regarder mon écran d'ordinateur et de ne penser qu'à roupiller. Il me fallait avaler des citernes de café pour garder les yeux ouverts et réussir à pondre les textes que l'on me commandait.

O

Deux heures du matin. Je me lève comme cela est devenu chez moi une habitude. Sur la pointe des pieds et dans une totale obscurité, je me rends dans la cuisine. Surprise! Mon voisin est dans la sienne. Son revolver est posé au milieu de la table. Il fait glisser la boîte métallique dans la poche de son pantalon. Il enfile un manteau et il éteint. Moi, je retourne me coucher, mais je ne réussis pas à fermer l'œil.

Je sens que quelque chose de grave va se passer.

O

Le lendemain, à mon arrivée au journal, un collègue affecté aux faits divers m'apostrophe.

— T'es au courant de la nouvelle?

Mon collègue semble complètement survolté.

— Non, laquelle?

— Tu ne sais pas ce qui est arrivé à Martine Rouleau?

Un frisson me parcourt le dos.

— Non, quoi?

— Elle a été retrouvée morte dans son appartement, avec trois balles dans la poitrine. C'est la voisine d'en bas qui a alerté la police parce que le sang a coulé jusque chez elle.

— Ouache!

— C'est épouvantable, hein?

— C'est écœurant aussi.

— Mets-en! Bon, il faut que je te laisse. On prépare la une avec cette histoire-là et le patron m'a demandé si je pouvais faire un topo sur Martine Rouleau.

Je demande avec la plus grande désinvolture possible:

— Sais-tu si la police est déjà sur une piste?

— Pas encore, non. Mais ça pourrait être à peu près n'importe qui dans la communauté littéraire de la ville. Martine Rouleau ne manquait pas d'ennemis.

— Ouais. En tout cas, bonne chance avec ton papier sur le Rouleau comp... Euh... Je veux dire sur Martine Rouleau.

— T'inquiète pas. Je vais pondre un beau petit texte pour dire à quel point elle était professionnelle dans son métier. Si elle a déjà eu des prix de journalisme, on va les énumérer. Sinon, on lui en inventera. Je vais dire que c'est une immense perte pour le monde du journalisme et tout le tralala.

Le ton moqueur de mon collègue m'a fait sourire, vu les circonstances morbides entourant la mort de Martine Rouleau.

Une pensée saugrenue me traverse l'esprit. Je me dis qu'il faudra me procurer un complet sombre pour assister aux funérailles de Martine Rouleau. Encore des dépenses en perspective...

Je me demande si mon grand chimpanzé de voisin sera là.

O

Je ne regrette pas la disparition de Martine Rouleau et je ne vois pas comment l'on pourrait honnêtement pleurer la mort de cette personne. Mais je lutte intérieurement. Je sais des choses sur mon voisin et je me demande s'il ne vaudrait pas mieux avertir la police. Quand même! Mon voisin a peut-être tué un être humain. Je n'arrive pas à me débarrasser de cette pensée. J'ai beau détester la victime, je ne peux pas approuver un geste aussi extrême. Il existe d'autres façons de manifester son désaccord avec quelqu'un que de l'expédier dans l'au-delà à l'aide de trois balles dans la poitrine, il me semble. Si tout le monde faisait la même chose, la terre serait vite dépeuplée. Je dois me confier à la police.

Mais, par ailleurs, quelles preuves ai-je donc de la culpabilité de mon grand chimpanzé de voisin? Aucune. Seulement des soupçons.

J'ai mal dormi pendant plusieurs nuits, ressassant la question sous tous ses angles. Mon voisin est-il le meurtrier du Rouleau compresseur? Ma conscience n'est pas en paix.

Après plusieurs nuits de tourments, j'ai pris une décision: je ne dirai rien à la police sur les singuliers agissements de mon voisin. Faute de preuves tangibles.

○

Deux semaines après les funérailles de Martine Rouleau, l'enquête policière avance beaucoup plus rapidement que prévu. Et de façon diablement surprenante en plus.

À mon grand étonnement, les soupçons se portent sur une femme, l'ex-colocataire de Martine Rouleau qu'un témoin aurait aperçue rôdant autour de l'appartement de la victime quelques heures avant l'assassinat.

Selon certaines rumeurs, la présumée meurtrière aurait peut-être même été plus qu'une colocataire pour Martine Rouleau. Les mauvaises langues se délient et s'en donnent à cœur joie dans cette affaire crapuleuse.

Quant à mon grand chimpanzé de voisin, si les soupçons se portent sur quelqu'un d'autre, il est maintenant presque blanchi à mes yeux. Il ne faut pas se fier aux apparences. L'habit ne fait pas le moine, pas plus que le revolver ne fait le meurtrier. J'ai bien fait de ne pas le dénoncer à la police.

O

Dans une récente entrevue accordée à la nouvelle critique littéraire du journal, celle qui remplace la Rouleau et qui est nettement plus sympathique, mon voisin avouait s'être converti depuis peu au roman policier. Il en avait un en chantier. Cela expliquerait-il son intérêt récent pour les armes à feu? Après tout, quand on écrit, il faut connaître son sujet et savoir de quoi on parle. Le crime ne paie pas, mais qui sait si ce ne sera pas le cas pour mon grand chimpanzé de voisin. Ça ne peut sûrement pas être pire que la poésie.

En attendant de lire son roman, j'ai retrouvé le sommeil du juste. D'ailleurs, je m'apprête de ce pas à me mettre au lit.

Bonne nuit.

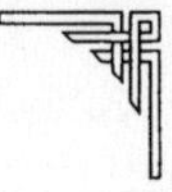

LOUISE-MICHELLE SAURIOL

Nordik Express

Ce que je peux m'en foutre du reste du monde! Je me laisse bercer par les vagues dans ma cabine. Insouciante, libérée. Mon échec en 4e secondaire, on en reparlera. Plus de sermons, plus de lamentations. Un été à me couper de la ville, ce n'est pas trop. Pourquoi pas un an, un siècle? Adieu. Je m'en vais chez ma cousine Valérie à bord du *Nordik Express*. À Saint-Augustin, plus précisément. Sur la Basse-Côte-Nord. L'accès au village se fait uniquement par mer. Ni odeurs de chaussée, ni odeurs d'essence. Rien que des vagues, des oiseaux, des rochers. La paix.

J'en ai vécu des choses depuis deux jours. D'abord, la descente éclair en voiture, de Montréal jusqu'à Sept-Îles, avec mon oncle Sylvain et sa bande de fouines: deux garcons et une fille entre trois et sept ans. Avec les petits, je me débrouille parfaitement. Mille kilomètres plus loin, je les ai rendus à leur mère, frais comme la rosée. Puis, je suis tombée comme du plomb sur le divan de leur bungalow.

Aujourd'hui, j'ai pris le bus pour Havre-Saint-Pierre. J'avais sept ans, la première fois que j'y suis venue. Nous avions fait une excursion aux îles Mingan, juste en face; je m'étais inventé un village Schtroumpf géant dans les rochers sculptés par la mer.

Cette année, les gigantesques pierres dressées des îles m'ont envoûtée comme les portes d'un pays magique. Un pays de roc et de marées. Je mourais d'impatience d'embarquer sur le bateau. Enfin, tard dans la veillée, le *Nordik Express* a mouillé dans le port, sous un ciel piqué d'étoiles.

Moi, Chloé Brisebois de la rue Delorimier, je vogue maintenant au milieu du golfe Saint-Laurent et n'essayez pas de m'en arracher. Dans moins de deux jours, je serai à Saint-Augustin.

Mon voisin de cabine prend sa guitare. Il joue pas mal bien. Malgré moi, je fredonne la mélodie. Un air fascinant. Une sorte de ballade que je ne connais pas.

Je l'ai croisé ce soir en entrant dans ma cabine. Il sortait de la sienne. Un vrai beau gars. Grand, brun de peau et de cheveux, l'allure sportive. Mais c'est à peine s'il m'a regardée.

Demain matin, le bateau arrête à Natashquan. J'espère que le voisin à la guitare ne va pas s'y évaporer. Je vais me lever tôt et tâcher de lui parler au petit déjeuner.

— On n'a pas besoin de musique pour dormir! bougonne quelqu'un juste en dessous de moi.

J'arrête aussitôt de turluter. Juchée sur la couchette supérieure des lits superposés, j'oubliais que je n'étais pas seule. En fait, nous sommes trois dans cette cabine: deux sœurs plus très jeunes mais bien en chair occupent les places inférieures des lits. Les sœurs Dubé, Marianne et Alice, vont rendre visite à leur vieille mère à Blanc-Sablon, le plus à l'est des villages de la Basse-Côte-Nord.

— Tu peux toujours chanter, la petite, continue la forte dame nommée Marianne. C'est la guitare qui m'énerve! Et puis non, le vrai problème c'est que ma montre a disparu.

— Tu veux dire que tu l'as perdue, susurre sa sœur Alice.

— Non, ma chère, s'entête Marianne, ce matin, je l'avais déposée ici même dans mes pantoufles.

Comme le ton monte, j'offre poliment à Marianne de l'aider demain à poursuivre la chasse au précieux objet.

— T'es bien fine, réplique cette dernière, on regardera encore une fois ensemble. Bonne nuit!

Les grosses dames s'apaisent. La guitare égrène ses dernières notes. Dommage. Il ne reste plus qu'à dormir.

Et j'ai dormi longtemps. Plus longtemps que prévu. Il est huit heures et quart. Les sœurs Dubé sont déjà sorties de la cabine. Je me demande si Marianne a retrouvé sa montre. Un soupçon de toilette et, vite, au déjeuner avant qu'il ne soit trop tard.

Je grimpe sur le pont principal en deux temps, trois mouvements, mais il n'y a plus personne dans la salle à manger. J'avale des toasts et un grand verre de lait, puis je gagne l'observatoire tout en haut.

Sur la rive, on ne voit que des terres basses avec des bouquets d'épinettes de petite taille. Dans le lointain, le village de Natashquan se confond avec les galets.

— Bonjour! Tu voyages seule? Tu as l'air de t'ennuyer!

Je sursaute. Le bruit des vagues couvre les allées et venues des gens. Mon beau voisin tout brun? Non, un gars châtain aux yeux gris, plutôt costaud, à peine plus vieux que moi. Il porte des jeans délavés et une casquette verte sur laquelle est imprimé «Sept-Îles» en lettres jaunes.

Je pousse un soupir qui n'a rien à voir avec l'ennui et réponds par une menterie.

— Je pensais à ma cousine à Saint-Augustin. Je vais travailler avec elle au restaurant de sa mère.

— C'est curieux, dit l'autre, je débarque au même port. Mais pas pour faire la cuisine, seulement pour pêcher de quoi mettre dans le poêlon. De vraies vacances!

Non, mais, est-ce qu'il croit que j'ai l'âme en patate frite, celui-là? Je serre les dents et lui explique que j'ai un penchant pour les plantes, les oiseaux de mer, qu'il me restera beaucoup de temps pour m'occuper de tout cela durant les deux prochains mois.

Il s'appelle Jerry et vient de terminer une première année de cégep. Ce qui n'a rien de spécialement sympathique. J'aimerais en finir, mais il reste là à me raconter des histoires sur les oiseaux de la côte.

J'avoue qu'il est agréable à écouter et connaît toutes les espèces d'oiseaux de mer, des huards à collier aux macareux moines, en passant par les goélands à manteau noir. Malgré moi, cependant, je lance des coups d'œil furtifs autour de nous, au cas où mon beau voisin apparaîtrait sur le pont.

— Attends-tu quelqu'un? s'enquiert Jerry en se retournant.

— Non, mais on ne sait jamais. Il y a bien du monde qui voyage pendant les vacances.

— C'est vrai. Et puis, il y en a qui viennent de loin.

Jerry m'apprend qu'il partage sa cabine sur le pont inférieur avec un étranger qui se rend à Terre-Neuve; un grand gars au teint foncé, originaire d'Amérique du Sud, semble-t-il. Je réplique un peu nerveusement.

— Quel est ton numéro de cabine?

— Le A3.

Le numéro de la cabine juste à côté de la mienne! Je n'ose faire de commentaires. Je lui dis simplement que j'ai entendu le gars en question jouer de la guitare.

— Ah oui? fait Jerry, l'air narquois et les yeux pétillants. Alors, tu es dans le même coin, toi aussi.

Je n'ai plus envie de parler. Mon voisin aux ballades mystérieuses, je finirai bien par le rencontrer, puisqu'il doit faire tout le voyage le long de la côte, avant de traverser à Terre-Neuve.

Les maisons blanches et grises de Natasquan se dessinent maintenant avec précision. On accostera bientôt. J'en profite pour quitter Jerry et descendre me préparer. Le *Nordik Express* étant un cargo, il arrête dans chaque port pour livrer des marchandises. Cela permet de se dégourdir les jambes et de fureter dans les villages.

Dans la cabine, je trouve une sœur Dubé à quatre pattes, le derrière en l'air, le nez sur le plancher. Sur sa couverture est étalé tout le contenu de sa valise, des chaussettes au rince-bouche, en passant par une corselette élastique. Je l'interpelle:

— Marianne! (puisque je suppose que c'est elle). Je vous ai promis de vous aider!

La pauvre femme, excédée, se relève, la figure rouge-violet.

— Si je l'attrape, ce voleur-là, il va y goûter! Ma montre dorée!

Au même moment, sa sœur Alice entrouvre la porte:

— Le bateau vient d'accoster, je t'attends sur le quai. Dépêche-toi donc! Tu finiras bien par la retrouver, ta fameuse montre.

Alice disparue, Marianne pousse un soupir, refoule les larmes sur le bord de sa paupière et se résigne à laisser tomber les recherches. Elle range ses effets dans sa valise et rajuste son large pantalon.

— Je sais ce que je sais, marmonne-t-elle en sortant. À plus tard, Chloé!

Une fois seule, je fouille encore partout, soulève le linge, les matelas. Peine perdue. J'abandonne à mon tour et me dirige vers la salle de bains dans le couloir.

En passant devant la A3, j'ai un pincement au cœur. Mon beau voisin est-il déjà descendu visiter Natashquan? Ai-je des chances de le rencontrer là-bas? Lorsque j'arrive devant la salle de bains, une femme se précipite hors de sa cabine en criant avec un accent pointu très français:

— Aux voleurs! Ils ont volé mes bijoux. Ils ont tout piqué!

Un homme part à ses trousses en tentant de la calmer:

— Écoute, ma poulette, as-tu bien cherché? Je t'avais dit de ne rien apporter...

Quels étourdis! Les voilà partis sur le pont supérieur en laissant leur porte grande ouverte. Quelque chose de brillant attire mon attention par terre, entre deux valises. J'attrape vivement l'objet: un trousseau de clés! Leur trousseau de clés, sans doute. Je l'enfouis dans mon jean et tire énergiquement sur la poignée de la porte.

Quelques minutes plus tard, enfermée dans mon étroit refuge, je regarde de près ma découverte: deux clés, l'une assez petite, plutôt lisse, et l'autre, une clé de cabine comme la mienne. Sur l'étiquette, un numéro: A3. Incroyable!!! Le trousseau n'appartient pas au couple de Français, mais à quelqu'un de la cabine voisine de la mienne. Que faisaient ces clés-là entre les valises?

Une folle idée me traverse l'esprit. Je m'empresse d'essayer la clé non étiquetée dans la serrure de ma propre porte. Comme de fait, elle s'ouvre! Pour une fille qui a coulé en maths, Chloé, tu as du flair!

Je m'installe sur la couchette de Marianne pour réfléchir. Voyons, la personne aux clés aurait-elle volé les bijoux, et la veille, la montre de Marianne? Combien d'individus partagent la cabine A3?

Jerry n'a mentionné que l'étranger à la guitare. Il y a quatre places là-dedans. Les deux autres, sont-elles vides ou occupées? À qui appartient ce trousseau de clés avec un passe-partout?

De l'autre côté de la cloison, un air de guitare vient me chatouiller agréablement l'oreille. C'est différent de la musique d'hier soir. Beaucoup de rythme, on dirait une danse frénétique, un peu étrange. Mon voisin d'Amérique du Sud est à l'intérieur de sa cabine. Ce n'est certainement pas lui qui a perdu le trousseau de clés!

Jerry, alors? Il n'a pas la binette d'un voleur, mais on ne sait jamais. Je vais tenter d'éclaircir la chose tout de suite en allant me poster près de la passerelle du bateau. Si Jerry s'y amène, dans un sens ou dans l'autre, je le bombarde de questions.

Depuis une demi-heure, je fais la chandelle sur le quai en guettant le va-et-vient des passagers. Toujours rien d'intéressant. Un vent d'est se lève et le ciel se couvre de nuages menaçants. Comme je me tourne pour rabattre la capuche de mon blouson, quelqu'un m'apostrophe:

— Chloé, viens-tu faire une promenade sur les galets?

Jerry! Il était encore sur le bateau, lui aussi. J'attaque aussitôt.

— Dis donc, combien est-ce qu'il y a de personnes dans ta cabine?

— Pourquoi ça? demande-t-il, étonné. Eh bien, si tes voisins te préoccupent tellement, je t'informe que nous sommes présentement deux. Un monsieur a débarqué à Havre-Saint-Pierre. Alors, tu viens au village?

— Il y a trop de vent, je vais plutôt remonter à bord. Excuse-moi.

— Comme tu veux. À plus tard!

Un frisson me parcourt le dos. Juste deux. Ce serait donc lui, le voleur de bijoux? Cela me paraît trop simple. Pourtant... Je tâte du bout des doigts le trousseau de clés dans ma poche en traversant à nouveau la passerelle. Jerry? Est-ce vraiment possible?

À moins que ce ne soit le monsieur de Havre-Saint-Pierre. Mais le vol chez les touristes français, alors...

J'allonge le pas jusqu'à la cafétéria où j'achète un sandwich. Je l'engloutis en essayant de mettre de l'ordre dans mes idées. Je ferais peut-être mieux de rapporter les clés au commissaire de bord au plus vite. Si Jerry prenait le large en découvrant qu'il a perdu ses clés... Tout tourne dans mon esprit. Est-ce l'effet de l'émotion ou du mouvement du bateau?

Alice Dubé vient soudain s'installer à ma table, un gâteau crémeux à la main.

— Le temps se gâte, alors on a décidé de revenir. Et puis le bateau part bientôt.

Malgré moi, les mots se bousculent dans ma bouche:

— Alice, un de nos voisins c'est... c'est un cambrioleur!

— Oui, il y a beaucoup d'étrangers à bord, répond-elle tranquillement. Le monde est bien mêlé de nos jours.

— Réveillez-vous, Alice! Je parle d'un voisin VOLEUR!

— Alors, c'est vrai qu'on a raflé tous les bijoux d'une dame française? Il paraît que le film de surveillance est brouillé. Impossible de voir qui a fait le coup. Et toi, tu crois que le voleur n'est pas loin... Je pense plutôt qu'il doit se cacher.

Le bateau commence à tanguer sérieusement. Je quitte la table au moment où l'autre sœur Dubé arrive, plus étourdie que jamais et l'estomac à l'envers. Rien à faire avec ces dames. Je vais aller décompresser un moment dans la cabine, puis j'irai trouver le commissaire.

La houle s'amplifie et en dépit de mes malaises, je repère mon beau voisin très brun, très sportif, qui grimpe lestement vers l'observatoire. Pourquoi tant vouloir contempler une mer maussade? En tout cas, il est certain qu'après ma visite au commissaire, je saurai où le trouver.

Une fois parvenue sur le pont inférieur, le cœur me tourne à l'envers. Je n'arrive plus à me rendre nulle part, sauf aux cabinets. Moi qui croyais avoir le pied marin...

J'ai été aux prises avec le mal de mer une journée complète. Je ne sais si c'est à cause du roulis ou du tangage, ou des deux, mais ça brassait dans ma tête comme dans mon ventre. J'étais secouée jusqu'au fond des tripes. Je commençais même à regretter la rue Delorimier.

J'aurais coulé à pic sans les sœurs Dubé. Elles se sont occupées de moi comme des anges, c'est-à-dire comme de vraies mères. Si j'avais juste un morceau de mère comme ça, jamais je n'aurais échoué mon année à l'école.

Je me suis laissé dorloter. Marianne m'a couchée dans son lit, m'a appliqué des compresses fraîches sur le front. Alice s'est décarcassée pour me trouver de l'eau minérale, des craquelins, des comprimés de Gravol.

Elles en oubliaient même de se disputer.

— Pauvre enfant, disait Marianne, tu pâlis sans bon sens. Tu me fais penser à ma nièce, une blonde aux yeux bleus comme toi. Elle change de couleur dès qu'un bateau tangue un peu.

— Inquiète-toi pas, Chloé, le beau temps s'en vient, roucoulait sans arrêt Alice.

Des trésors de personnes. Il a fallu une tempête pour les mieux connaître. De temps en temps montait, de la cloison juste à côté de la mienne, un air de guitare. Comme si mon voisin cherchait aussi à venir à ma rescousse. Rêve ou réalité? En tout cas, c'était réconfortant.

Le soleil est revenu ce vendredi matin, quelque part entre Tête-à-la-Baleine et La Tabatière, derniers arrêts avant Saint-Augustin. Il était temps.

Je lève la tête, les bras, le dos, alouette! Plus de nausée! Je grignote les biscuits secs d'Alice et bois le coca-cola laissé gentiment à côté. Ça va presque bien!

J'ai tellement envie de sortir de cette cage ballottante. Je rassemble mes énergies pour aller faire un tour sur le pont supérieur.

En prenant l'escalier, tout se bouscule dans ma tête: les vols de bijoux, le chagrin de Marianne, les clés trouvées. Qu'est-ce que tu attends, Chloé, pour régler ça?

Je plonge la main dans ma poche. Vide. Les clés sont restées dans mon autre jean. Tant pis, je vais d'abord jeter un coup d'œil sur la côte. Ensuite, j'irai reprendre ce trousseau de malheur.

Arrivée sur le pont supérieur, je m'élance vers un hublot. En amont, un village s'éloigne lentement, un tout petit village incrusté dans la pierre.

Le pays de pierres dont je rêvais! Des oiseaux de mer piaillent au-dessus des embarcations de pêche en décrivant toutes sortes d'arabesques. Un troupeau de phoques prend du soleil sur une île. Fabuleux!

— Baie-des-Moutons, annonce un vieux monsieur qui fume la pipe. On n'arrête pas ici.

Le *Nordik Express* met le cap sur La Tabatière, le village suivant. Quel nom! Il paraît que Tabatière signifie «sorcier» en langue montagnaise.

Jerry se pointe avec d'autres passagers pour sortir à la prochaine escale. Si c'est toi, le filou de sorcier, attends un peu que je m'occupe de ton cas. Et il faut que je me grouille, sinon il sera trop tard.

Branle-bas parmi l'équipage, on accoste déjà à La Tabatière. Quelqu'un me prend vigoureusement par le bras. C'est Marianne.

— Te v'là guérie! Viens, je t'offre un thé pour fêter ça. Je laisse Alice explorer l'endroit toute seule.

Encore un pépin, et de taille! J'essaie de me défiler.

— Je n'ai pas le temps, je dois faire mes bagages!

— T'as presque rien et je m'en vais t'aider à tout paqueter!

Impossible d'y échapper, mais je dois admettre que le thé resserre les muscles de mes jambes. Au moins, je ne risque pas de m'écrouler devant le commissaire.

De nouveau dans la cabine, je me précipite sur mes jeans souillés pour en extraire le trousseau de clés. En un tour de main, Marianne ramasse mes autres traîneries et m'aide à boucler mon sac. Je ne veux rien lui raconter de précis. Pourtant, j'aimerais lui glisser un mot d'encouragement.

— Marianne, j'ai une surprise pour vous.

— Ah oui! Laquelle?

— C'est à propos de votre montre.

— Oublie ça, Chloé, tu sais bien qu'ils me l'ont volée, comme les bijoux de la Française. Tous les passagers sont fouillés à leur descente, mais ces voleurs-là, ils ne vont jamais les attraper.

— Vrai de vrai, je vous promets une surprise. À plus tard!

Je m'éclipse dans le couloir pour aller en haut surveiller le retour de l'équipage au poste, après l'escale. Je n'attends pas longtemps, le commissaire de bord apparaît bientôt avec sa casquette blanche.

Il m'écoute avec attention et me conduit à son bureau. Le commissaire m'apprend alors que les bijoux volés ont été vendus à Natashquan. Le suspect a été dénoncé. Il vient d'en avoir la nouvelle. Je lui présente le trousseau de clés qu'il examine minutieusement. En fin de compte, il se dit très heureux de tenir une preuve qui vient étayer la description du voleur, recueillie là-bas.

Jerry, sans aucun doute. Je ne veux plus penser à lui. Je n'ai pas la force d'en écouter davantage et tourne déjà les talons lorsque le commissaire m'interpelle de nouveau.

— Tu occupes la cabine des sœurs Dubé? Veux-tu remettre ce papier à Mlle Marianne, s'il te plaît. Les bijoux seront transportés à Blanc-Sablon par hélicoptère. Mlle Dubé devra aller identifier sa montre. Surtout, t'en fais pas, le suspect sera mis à l'écart et tu peux compter sur notre discrétion.

Quelle affaire! Je tremble comme une feuille en redescendant l'escalier. Au moins, c'est réglé et Marianne sautera de joie. Mais d'autre part, qu'est-il advenu de mon beau voisin guitariste pendant tout ce temps? J'aurais au moins voulu lui parler de ses airs de musique pâmants. Côté école et côté cœur, on dirait que la malchance me colle après.

Des pas lourds me précèdent: je rattrape Alice Dubé alors qu'elle ouvre la porte de notre cabine. Je me faufile et donne le papier à Marianne sans plus d'explications. Abasourdie, elle éclate en sanglots et me fait des embrassades dégoulinantes.

— Chloé, t'es la plus fine du monde! Je le savais bien. Alice, ils ont trouvé ma montre!

«La plus fine du monde» a besoin d'air. Je ramasse mon sac à dos et annonce mon départ prochain à mes colocs. Le *Nordik Express* a repris la mer et le prochain arrêt est Saint-Augustin.

— On te fera nos adieux sur le quai! me lance Alice, sa figure ronde épanouie comme la pleine lune.

Chère Alice, chère Marianne! Gros merci! Vous êtes des amours. Je ne suis pas près de vous oublier.

Je monte une dernière fois à l'observatoire pour admirer la côte à partir du bateau.

Il fait très froid, le vent me fouette la figure. Un iceberg glisse au large. Le paysage rocheux et rugueux m'enchante et me captive comme un film en trois dimensions. Je m'installe sur un banc à l'avant du bateau pour ne rien manquer. Ce que j'ai hâte de débarquer à Saint-Augustin!

Je pense que je me suis endormie. Toujours est-il que maintenant, le *Nordik Express* navigue entre des îles de granit rose dans un large chenal aux eaux vertes: le grand rigolet dont ma cousine Valérie m'a parlé. Extraordinaire, on arrive!

Je me lève d'un bloc et viens m'appuyer au bastingage quand j'y découvre un personnage inattendu: Jerry! Jerry qui, une guitare en bandoulière, me fait un drôle de sourire. Ses yeux gris brillent d'une lueur différente. Lui? Une guitare? Allons donc... pas possible!

— Quoi? Tu es là? Je pensais que... c'est à toi la guitare?

Je dois avoir l'air complètement idiote à bafouiller comme je le fais. C'était donc lui le voisin à la guitare ensorcelante et pas le gars séduisant au teint brun. Et le voleur... Calamité! C'était l'autre!

— Jerry! pourquoi tu ne me l'as pas dit? C'est tellement beau ce que tu joues...

— ... que tu as pensé que ça ne pouvait pas sortir de moi! enchaîne-t-il sur un ton faussement enjoué. Je tenais quand même à te dire bonjour.

On dirait qu'il est un peu triste sous sa casquette. Très triste, même. Ça me fait chavirer. Quand je pense que je l'ai pris pour un voleur! Honte à toi, Chloé! Tu ne peux pas le laisser comme ça. Et puis, j'aime tellement ses ballades en musique, ses histoires d'oiseaux et... peut-être aussi ses yeux gris.

— Écoute, le restaurant de ma tante, c'est *Le Cachalot*. Ce serait bien de t'entendre jouer de la guitare dans le courant de l'été. Où t'en vas-tu au juste?

— À Pakuashipi. Sur l'autre rive de Saint-Augustin, dans le secteur montagnais.

Pakuashipi? Chez les Montagnais?Jerry est un Indien montagnais, un Innu! La plus grosse surprise, ce n'est pas Marianne qui l'a en plein front, aujourd'hui. C'est moi, Chloé, la fille de la ville. J'ai découvert mon voisin à la guitare!

Jerry m'a promis de me faire écouter d'autres musiques. Le véritable voisinage commence...

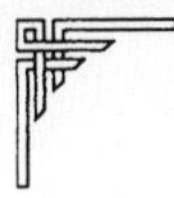
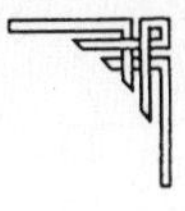

DANIEL SERNINE

Dans ses yeux une flamme

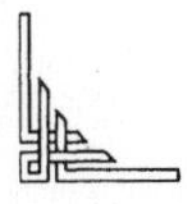

Que je sois, puisqu'il faut qu'on existe,
le chat du Café des Artistes.
J.-P. Ferland, *Jaune*

Bien qu'il fût mon voisin, les souvenirs que je garde d'Alain Savard sont presque tous liés au café *l'Artiste* plutôt qu'à notre maison de la rue Couillard. Je revois les cafés flambés qu'il s'offrait en soirée – et qu'il m'offrait, à l'occasion, lorsque par ruse je parvenais à veiller tard dans le petit établissement.

Je revois sa main, longue et noueuse, une main de pianiste, négligemment posée sur le bois poli de la table. Je vois l'éclat des flammes des chandelles dans la pupille de ses yeux sombres, et les reflets fauves qu'elles éveillaient dans la repousse de sa barbe. Je peux évoquer sans difficulté cet air absorbé qu'il avait, les yeux mi-clos, lorsqu'un chansonnier grattait sa guitare sur la scène minuscule du café, interprétant du Ferré, du Brassens, du Reggiani, ou nous livrant ses propres compositions.

Trente ans déjà, ou bientôt trente.

Ma sœur aînée et moi habitions au deuxième étage d'une maison collée aux autres, elles le sont toutes, en cette rue étroite qui mène au Séminaire. C'est d'ailleurs là que j'étudiais, au Petit Séminaire de Québec qui vivait en ces années soixante la transition du cours classique au cours secondaire. Nos parents habitaient la région de Lotbinière et, plutôt que de faire de moi un pensionnaire au Petit Séminaire, ils avaient pris pour ma sœur et moi un modeste loyer rue Couillard.

Prenant son rôle au sérieux, ma grande sœur se montrait aussi sévère que l'aurait été notre mère, et même davantage. Mais elle complétait son cours d'infirmière, Lucienne, et ses stages dans des hôpitaux ne lui permettaient pas d'être au logis tous les soirs, toutes les nuits, ni même de téléphoner à sa guise pour vérifier si je restais sagement à l'appartement.

Alain Savard était notre voisin de palier. La porte de son logis ouvrait en face de la nôtre, leurs battants d'un bois aussi sombre que celui de la rampe de l'escalier qui descendait au premier.

Néanmoins, je ne le croisais pas souvent dans les marches ou sur le palier, et je n'avais entrevu son logis que de rares fois, à la faveur d'une porte qui se refermait. Je me rappelle du papier peint, un peu jauni, discrètement ligné et fleuri, des appliques aux abat-jour givrés, une tablette surmontée d'un miroir, des cadres ovales, au verre bombé, recelant des fleurs séchées.

Savard aussi habitait avec une femme, mais dans son cas c'était sa mère, une dame qui me semblait moins âgée que la mienne. Pourtant, Alain Savard avait la mi-vingtaine, il était donc plus vieux que Lucienne, l'aînée de ma famille. J'avais peine à situer son âge, surtout au début: pour un garçon de quinze ans, ce voisin était «un grand», un de ceux qu'on voyait en petits groupes dans l'autobus, allant ou revenant de l'université, absorbés dans des conversations bruyantes au ton rebelle, aux accents politiques. J'ai appris par la suite qu'il avait vingt-trois ans lorsque nous avons emménagé rue Couillard.

Ma mère, une vraie belette, était parvenue à savoir que la femme ne s'appelait pas Savard. Cela signifiait que le père d'Alain ne l'avait pas épousée. Il avait reconnu ce fils né hors mariage, il lui avait donné son nom et il payait une pension à sa mère, mais on ne le voyait jamais. La fréquentait-il encore, celle qui avait été sa jeune maîtresse un quart de siècle plus tôt, nous l'ignorions et Lucienne jugeait cela improbable. Selon la concierge (l'informatrice de ma mère), il s'agissait d'un monsieur et il travaillait dans le domaine de l'édition.

J'en savais davantage sur Alain Savard – ou du moins c'est ce que je croyais. Nous l'entendions jouer du piano, certains soirs ou tard l'après-midi; à mes oreilles enchantées, il avait du talent. Et il composait des vers, inlassablement, sans doute chez lui mais souvent au café *l'Artiste*, où il avait sa place favorite, dans un coin de l'étage, près d'une fenêtre. De petits verres d'alcool ambré pouvaient passer des heures sur la table devant lui, il y trempait les lèvres de temps à autre. Quelquefois le niveau baissait plus vite, les verres se succédant à un rythme soutenu. En d'autres occasions, surtout l'hiver, c'étaient les cafés qui tiédissaient devant lui, et il sirotait l'âcre breuvage comme s'il s'agissait de la dernière tasse au monde.

Contrairement à bien des gars de son âge, il fumait peu, et exclusivement de petites cigarettes indiennes – je veux dire des Indes, brunes et curieusement parfumées.

Et moi, dans tout cela? Comme d'autres collégiens, le tenancier de *l'Artiste* tolérait notre présence, aux heures creuses, à condition que nous consommions un breuvage, que nous ne fassions pas trop de tapage et que nous partions si la place manquait pour les vrais clients, les clients rentables qui mangeaient, buvaient et payaient un droit d'entrée symbolique afin d'écouter les chansonniers lorsqu'il y en avait. Une fois par mois, peut-être, le tenancier demandait à Savard lui-même de lire des poèmes sur la scène, sous un projecteur unique. Il déclamait alors Villon ou Rutebeuf, Verlaine ou Nelligan – j'écris «déclamer» mais ce n'est pas le bon verbe, son élocution n'avait rien d'emphatique, elle avait au contraire le timbre de la sincérité et je frissonnais avec un Rutebeuf esseulé dans les rues sombres et boueuses du Paris médiéval.

En septembre ou en octobre, un cercle finissait par se former autour d'Alain Savard: les aînés des collégiens, ceux que la littérature et la poésie attiraient, ceux qui n'étaient pas trop rebutés par ses longs silences. D'année en année, quelques «anciens» le retrouvaient avec plaisir, il y en avait même qui venaient certains soirs d'été, du moins ceux qui habitaient Québec.

Bien sûr, certains adolescents tapaient sur les nerfs de Savard, et il le leur laissait savoir assez clairement pour qu'ils ne reviennent pas. Envers d'autres, Théroux, Valiquette, Parenteau, Langevin, moi-même, il éprouvait quelque chose comme de l'amitié, je suppose, car il était de l'âge de nos grands frères – pour ceux d'entre nous qui en avaient.

J'écris «je suppose», car il ne laissait guère paraître ses sentiments, sur ces choses-là, et quand on parcourait ses poèmes on y lisait un lyrisme trop élevé, trop lointain, pour s'appliquer à quelque chose d'aussi banal que l'amitié entre personnes réelles.

Moi, j'étais du genre qu'on rencontre rarement dans les poèmes: maigre et sans allure, le nez chaussé de lunettes, des cheveux courts impitoyables pour mes oreilles.

Je crois malgré tout que Savard m'aimait bien – en tout cas je n'essuyais pas de rebuffade les quelques fois où je m'approchais de sa table en lui demandant si je dérangeais. Cependant, le fait que nous fussions voisins ne semblait établir aucune complicité particulière entre lui et moi. Au contraire, je sentis un embarras certain, à une ou deux reprises, lorsque, la veille, l'étage avait résonné des éclats d'une dispute. Car il leur arrivait de se disputer, sa mère et lui – elle à peine audible même dans ses colères, lui sortant pour l'occasion une voix vibrante de ténor qu'il ponctuait en claquant des portes ou des tiroirs, en bousculant des chaises.

○

Il aimait les chats, Alain Savard; cependant notre concierge appliquait strictement l'interdiction d'en héberger dans les appartements. Aussi avait-il adopté le chat du café *l'Artiste*, un animal souple et imprévisible, qui pouvait aussi bien vous échapper des mains en manifestant sa mauvaise humeur, que venir se frotter à vos jambes jusqu'à ce que vous le preniez dans vos bras. On l'appelait Flamme, un nom qui pouvait sembler original comme ça, mais qui s'avérait un pléonasme lorsqu'on regardait le félin. Son pelage blanc était en effet traversé de flammes d'un roux vif, zébrures verticales et ondulées qui reproduisaient exactement le tracé qu'aurait fait un peintre pour représenter des flammes – un peintre plutôt conventionnel, disons.

C'eût été beaucoup dire que Flamme avait adopté Savard, mais enfin il se laissait prendre par lui avec moins de réticence, et restait en son giron plus longtemps qu'avec les autres clients. Savard était peut-être, à la longue, parvenu à deviner à quel moment Flamme se lassait des caresses et à quels endroits il tolérait plus longtemps les doigts affectueux.

Autrement, c'était un chat de café, qui se nourrissait la nuit dans la cave de l'établissement et le long des plinthes, sous les escaliers et derrière les calorifères.

On ne voyait jamais une souris au café *l'Artiste.*

O

Le café n'était pas très loin de la maison où nous logions, ma sœur et moi. Lorsque les absences de Lucienne m'en donnaient l'occasion, je sortais certains soirs, pour ne revenir qu'à l'heure où s'apaise la ville et où une lune de février jette des ombres sur le bleu de la glace. Je repense au vent d'automne s'engouffrant dans l'étroite rue, gonflant les manteaux longs et menaçant d'emporter les chapeaux. Je me revois parcourant un trottoir émaillé de neige, en un silence irréel, dans un froid à fendre les dents. Je me revois encore traversant la chaussée sous une pluie d'avril, la lumière des lampadaires frémissant dans les flaques d'eau glacée. Parfois c'était après avoir étudié mes leçons, parfois c'était pour terminer mes devoirs, penché sur une tasse de chocolat chaud. La rumeur des conversations ne parvenait pas à me distraire, et quelquefois je levais les yeux pour voir si Savard écrivait lui aussi, dans ces petits cahiers que des feuilles surnuméraires, aux bords cornés, venaient épaissir de semaine en semaine jusqu'à ce qu'il en achète un nouveau.

Il possédait – cela faisait sourire certains clients et en ravissait d'autres (les femmes surtout) –, il possédait un encrier d'étain et une véritable plume, dont il taillait le bout à l'aide d'un canif et qu'il devait remplacer régulièrement, bien entendu. Je savais évidemment que ce genre de plume avait disparu de l'usage courant depuis longtemps (un siècle et demi, me précisa Savard lui-même) et qu'il les employait pour se donner un genre. Mais à quinze ans, à seize ans, je trouvais cela diablement romantique. (C'est lui aussi qui m'avait appris que les plumes Fontaine, qui les avaient remplacées, prenaient une majuscule à cause du bijoutier qui les avait popularisées, et qu'il ne s'agissait pas d'une fontaine d'encre comme je l'avais naïvement cru.)

Alain Savard détenait une vaste culture, mais jamais il n'en faisait étalage pour nous assommer. Une phrase seulement, une remarque, parfois un simple mot d'esprit, et les collégiens assis à sa table apprenaient quelque chose de plus intéressant que ce que leur avaient débité les pères toute la journée.

Au café *l'Artiste*, je bus mes premiers cafés (qui me procurèrent d'interminables insomnies), et mes premiers verres d'alcool fort, sous l'œil d'un tenancier complice qui faisait semblant d'être ailleurs. Au café *l'Artiste*, encore, certains chansonniers me procurèrent mes premiers émois lyriques (curieusement, la poésie n'avait de prise sur moi que si on la lisait à haute voix), et une certaine Laurence alluma en moi les premières flammes de l'amour.

Laurence, je ne passai avec elle que quelques soirs, égrenés sur une saison. Puis elle ne reparut plus, condamnée peut-être à rester chez elle, ses sorties ayant été découvertes par des parents sévères – car elle étudiait elle aussi, mais au couvent des Ursulines, et j'ignorais son adresse. Trois mois, même pas; voilà ce que dura notre liaison.

Le temps d'aimer, d'être embrassé, puis de macérer un an dans les chagrins de la perte.

Et Alain Savard, lui, qui aimait-il?

O

Je ne savais rien de mon voisin, du moins rien de sa vie intime. Ses poèmes, que parfois il nous laissait lire mais que jamais il ne livrait au public de *l'Artiste*, ne révélaient rien de très précis – hormis que les poètes semblaient tous se consumer d'amour depuis que le monde était monde. Difficile, donc, de savoir si c'était l'Amour qui l'embrasait ou si un amour précis, bien concret, le consumait à petit feu, dans la braise des modestes attentes et des grands espoirs, des petites phrases mal entendues et des silences mal compris, des mesquines jalousies, des longues absences et des trop brèves griseries.

Pour autant qu'on sût, il ne recevait guère de visite à l'appartement qu'il partageait avec sa mère. Mais comme il ne passait quand même pas chacune de ses soirées au café *l'Artiste*, ni ne s'enfermait chez lui à la journée longue (je l'avais déjà croisé en ville, à la librairie Garneau), il devait fréquenter d'autres gens, des copains, des amies.

Ou peut-être pas. Qu'en savions-nous?

O

J'ai deviné ce qu'avait vécu Savard, avec le recul des années, ce recul qui donne à comprendre des détails aperçus mais guère remarqués, des petites choses qu'on a vues mais jamais comprises. D'autres yeux et une autre mémoire m'ont aussi aidé à comprendre.

Cela, et la lecture de ses poèmes, qui furent publiés après sa mort. Car, en poésie, tout peut être écrit et pourtant échapper à l'attention, tant qu'on ne sait pas ce qu'on cherche ni comment l'interpréter.

Alain Savard, je crois, se consuma d'amour pour l'un d'entre nous, un collégien d'un an ou deux plus vieux que moi – pour ainsi dire un parfait inconnu, à mes yeux. Ou pas tout à fait, puisque Louis Gervais fréquentait le grand frère de Théroux, l'un de mes camarades de classe; mais c'était tout juste assez pour que je connaisse son nom.

Je parle d'une époque où ces choses-là ne se disaient guère, et s'écrivaient encore moins, du moins pas au Québec.

Je revois Gervais, ses cheveux blonds et bouclés qu'il portait aussi longs qu'on le pouvait en ces années-là, au risque d'être renvoyé du Petit Séminaire (il n'était en retard que d'une année sur les Beatles). Je le revois, mince et plutôt grand, passant quotidiennement sous les fenêtres de *l'Artiste*, à la sortie des classes, pour gagner la rue Saint-Jean et prendre un autobus place d'Youville. Certains jours il passait plus tard, le soir, car il avait une répétition avec la troupe de théâtre du Petit Séminaire. À ces occasions-là, il soupait avec des camarades dans un casse-croûte des environs ou au café *l'Artiste*.

Je sais qu'il connaissait Savard, comme finissaient par le connaître tous ceux d'entre nous qui fréquentions le café. Mais je ne me rappelle pas qu'il ait fait partie du cercle des habitués, ni qu'il ait été particulièrement attiré par le poète. Voilà bien le drame de la vie de Savard, je puis maintenant le comprendre.

J'ignore si cela se trouve vraiment dans ma mémoire ou si j'imagine la scène, mais il me semble revoir Savard, distrait, près de la fenêtre, le regard souvent tourné vers la rue en contrebas, puis se redressant imperceptiblement, l'air un peu plus intense, la tête accompagnant le mouvement des yeux pour suivre un passant sur le trottoir. J'aperçois une tête blonde émergeant du col d'un manteau sombre, ces longs manteaux confectionnés d'une sorte de feutre qui devenait lourd sous la pluie, et l'hiver il pouvait y avoir un foulard noué autour de ce col.

Laurence, que j'ai revue des années plus tard et qui est restée mon amie, m'a rappelé un autre épisode. Un début de soirée comme bien d'autres, du jazz en sourdine dans les haut-parleurs, puis une soudaine nervosité chez notre poète habituellement si placide, peut-être même une hésitation ou un bafouillement dans la parole: le grand Louis arrivait à l'étage du café, sans doute avec des amis, s'assoyait à la table voisine, saluait vaguement les connaissances du Séminaire qui entouraient l'écrivain, saluant Savard du même coup, mais sans lui prêter une attention particulière.

Si discret d'habitude, le poète avait-il manœuvré pour que les bavardages des deux tablées se croisent? Et si ces deux conversations n'en avaient plus fait qu'une, Savard avait-il dirigé certaines de ses répliques vers Gervais, feignant de s'adresser à tous mais cherchant son regard à lui, ce regard bleu dont Laurence se souvient, ce bleu plutôt gris qui éclaire le visage de tant de personnes blondes?

Une scène en tout cas demeurait claire dans ma mémoire. Savard nous avait offert, à quatre ou cinq collégiens qui l'entourions, l'un de ces cafés arrosés d'alcool qu'il se payait à l'occasion, les soirs de fraîche. Cela avait dû lui coûter un bras – il n'était pas particulièrement riche –, mais le jeu en valait la chandelle: Louis Gervais se trouvait à sa table. La seule fois, je crois; ou la seule dont j'aie eu connaissance.

Quand on y songe, il est possible qu'ils se soient trouvés ensemble à d'autres occasions, en d'autres endroits. Une hypothèse qui expliquerait bien des choses mais que je ne puis nullement étayer, à moins de rencontrer Gervais un jour – aujourd'hui, il aurait près de cinquante ans.

Ce soir-là, le soir des cafés flambés, Gervais se trouvait assis en face de lui, ou presque, et c'est comme si nous avions tous été absents. Laurence était parmi nous, et elle avait remarqué les regards soutenus, quelques sourires sur les lèvres minces de Louis, des sourires ambigus, peut-être narquois, provocateurs peut-être. Et dans le visage du poète une intensité qu'on lui voyait rarement, quelque chose d'obscur et d'ardent à la fois, comme ces flammes bleues à peine visibles qui courent à la surface des cafés lorsqu'on y enflamme l'alcool à l'aide d'une allumette. Depuis, j'ai compris ce qui pouvait se cacher derrière ces sourires, ceux d'un adolescent désormais conscient de son charme et aimant en jouer. Et j'ai compris ce que recelaient ces regards, ceux d'un homme encore jeune mais amer déjà, entrevoyant les tourments que la vie lui réservait et refusant de s'y résigner d'avance.

Mais j'avais seize ou dix-sept ans, je ne savais rien de ces choses-là.

O

Il n'y eut plus d'autre soirée comme celle-là, aucune en tout cas où Savard et Gervais se soient retrouvés à la même table en notre présence.

Il y eut d'autres cafés au cognac toutefois, et plus fréquemment. Mais pour Alain Savard seul, plus jamais pour nous.

Il me semblait d'ailleurs que nous étions moins bienvenus à la table du poète. Il pouvait passer une demi-heure, renfrogné, les yeux baissés vers son cahier et sa main immobile, jusqu'à ce que le collégien qui avait souhaité entamer une conversation se lève, confus, et quitte sa table.

Flamme, quant à lui, avait disparu: fugue, accident, revanche d'une voisine acariâtre, nul ne sut ce qui lui était arrivé.

Savard n'avait désormais comme confidents que les petits verres d'alcool ambré.

Cela n'allait pas tout seul, d'ailleurs: une ou deux fois, j'eus connaissance de la rogne du patron, qui désormais devait faire crédit à Savard, et qui parfois le lui refusait.

Et les disputes chez nos voisins, de l'autre côté du palier, se faisaient moins rares. Il y était question de paresse, de dépenses, de négligence – c'est du moins ce qu'on devinait d'après les répliques du poète.

Plus tard, adulte, j'allais connaître cela à mon tour, la morosité du désamour, l'aigreur de l'amour quand il n'est pas réciproque, son amertume même lorsqu'il est partagé mais que ses jours sont comptés.

Alain Savard se consumait.

O

Il se consuma vraiment – littéralement – un soir de mars 1968.

J'ai beaucoup lu, depuis, sur le phénomène de la combustion spontanée. Des anecdotes, des pseudo-explications formulées au dix-neuvième siècle mais que personne aujourd'hui ne prendrait au sérieux. Moi-même, si je n'avais vu...

Un soir de giboulée, tandis que Lucienne changeait des pansements à l'Hôtel-Dieu proche, j'avais mis le point final à une version latine, j'avais enfilé bottes, manteau et, tête nue, je m'étais élancé dans la rue enneigée. Les lourds flocons tombaient dans un air subitement apaisé, doux comme une promesse de printemps.

Les congères me forçaient à de hautes enjambées et je faillis perdre plus d'une fois une botte mal fermée.

Parvenu en biais de *l'Artiste*, je levai les yeux vers les fenêtres du café, celles de l'étage. Machinalement, mon regard trouva la dernière fenêtre, dans le coin où Savard avait élu domicile.

Il flambait.

Sur sa banquette, derrière sa table de bois sombre, Alain Savard se consumait d'une belle flamme bleue, qui traversait à peine sa veste et son pantalon mais qui brûlait d'un éclat azur partout où la peau était découverte.

Ses longs cheveux marron, rebelles, flambaient telle une torche, mais d'un feu régulier et pâle, bleuté, presque modéré. Sa peau, qui toujours avait été claire, luisait sous la flamme, blanche, phosphorescente, pas du tout rouge ni noircie comme de la chair qui aurait rôti.

Quelqu'un a crié, à l'étage du café. Une femme, puis deux, puis des éclats de voix masculines. Moi je suis resté coi, changé en glace au milieu de la rue blanche, la bouche ouverte sur un cri muet.

Je ne fus pas le seul à rester figé: les rares clients du café, au deuxième, mirent un bon moment à réagir. Quand leurs silhouettes s'agitèrent près de la fenêtre, à la table du poète, celui-ci s'était envolé en fumée.

Littéralement.

Hormis ses vêtements, qui furent vite éteints, il ne subsistait d'Alain Savard qu'une livre de cendre, piquée de quelques éclats noirs, charbonneux, peut-être des vestiges d'os.

O

Les réactions qui nous viennent devant l'inexplicable, devant l'impossible, ne se résument pas en quelques mots, ni en quelques phrases. À vrai dire, les mots pour les exprimer n'existent pas.

Policiers, pompiers, ambulanciers, on ne nous crut pas, ni moi ni les cinq clients qui se trouvaient à l'étage du café. Et si quelqu'un envisagea de les accuser, ces clients, d'avoir aspergé Savard d'essence et d'y avoir mis le feu – sans motif, d'ailleurs –, ce quelqu'un y renonça devant des détails aussi incompatibles que l'absence d'odeur de combustible, le peu de fumée dégagée, l'instantanéité du phénomène, la combustion complète du corps (ce qu'on n'obtient généralement qu'à 1600 °C, dans des fours crématoires), l'état des vêtements, seulement partiellement consumés, celui de la banquette et de la table, à peine noircies.

Le cahier manuscrit, en revanche, avait brûlé en entier.

O

Ici je pourrais achever mon récit – le terminer, mais sûrement pas le conclure. Toutefois un dernier détail s'impose à moi comme devant être ajouté à l'histoire.

L'année suivante – ou est-ce celle d'après? – un nouveau chat fut adopté par les propriétaires du café *l'Artiste* (qui avait été rebaptisé, puis avait repris son ancien nom). Le félin était un bâtard et ils l'appelèrent Flammèche, peut-être en souvenir de son prédécesseur, peut-être surtout à cause du motif de flammes qui le tigrait, des flammes de ce gris bleuté qui caractérise la robe de certains siamois, mais quasiment plus bleues que grises.

Pour ma part, après deux ans de réticences, j'avais recommencé à fréquenter le café, surtout à cause d'une jeune femme prénommée Esther. Flammèche se montrait aussi indépendant que Flamme, sinon plus, cependant il lui arrivait de sauter sur les genoux de certains clients et de se laisser prendre dans leurs bras. C'étaient surtout les collégiens du Petit Séminaire, et quelques anciens comme Valiquette ou moi.

Il m'arrivait d'écrire, dans un calepin, en attendant Esther. Pas de la poésie mais de brèves nouvelles, des idées pour un roman. À ces occasions, le jeune chat montait sur ma table, parfois même sur mes épaules. De ses yeux bleus – bleus telle la flamme d'un café flambé –, il examinait gravement les pages que j'avais écrites, comme s'il pouvait les lire.

Et moi, troublé par la vie que je sentais battre sous ses côtes, je le flattais, perplexe, rempli de questions sur les feux cruels de l'amour.

MARIE-ANDRÉE WARNANT-CÔTÉ

Les filles qui me plaisent

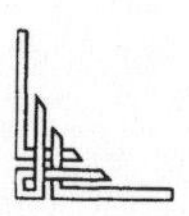

— C'est pas vrai!

Je viens d'entendre deux portières claquer. Je sais ce que ça veut dire: un gars ramène Louise chez elle. Je sais aussi qu'il va bientôt l'embrasser. C'est la récompense assurée pour ceux qui la raccompagnent à la maison. Et aucun d'entre eux n'évalue ce cadeau à sa juste valeur. Les seuls qui pourraient l'apprécier sont ceux qui ne le recevront jamais, moi par exemple.

Si je ne peux pas obtenir cette récompense, du moins je peux la contempler de loin. De la fenêtre de ma chambre, je vois parfaitement bien ce qui se passe sur le perron de mes voisines: Louise, Gertrude et leur mère, Johanne Moreau.

«Louise! Non! Ne me fais pas ça!» C'est une pensée inutile, bien sûr, puisque ce n'est qu'une pensée. Et même si je criais à tue-tête, qu'est-ce que ça changerait? Louise mettrait quand même ses bras autour du cou du gars. Elle lui offrirait quand même sa bouche.

À ces moments-là, elle se prend pour une héroïne romantique. Elle prétend que son destin exige qu'elle vive des passions brûlantes. Louise croit beaucoup en son destin. À sa place, qui ne ferait pareil? Lorsqu'il t'est accordé une beauté comme la sienne, il est facile d'imaginer être destiné à connaître une vie extraordinaire. Et son tempérament insouciant lui permet de satisfaire ses caprices sans aucun remords. Louise n'éprouve jamais aucun regret, jamais aucun doute.

Après trois éternités, elle se décolle du gars et rentre chez elle avant qu'il insiste pour passer à autre chose. La passion est plus brûlante quand on refuse de s'y abandonner, c'est la théorie de Louise... cette année. Je ne sais pas si le gars partage cette idée; de toute façon, il n'a pas le choix. Il remonte en voiture et démarre, sans savoir quelles injures silencieuses l'accompagnent. Je l'injurie, lui, parce que je n'ose pas insulter Louise, même en pensée.

Pourtant, je devrais lui en vouloir de m'avoir menti. Elle m'avait dit qu'elle voulait être seule ces temps-ci, que ça ne l'intéressait pas d'avoir un «chum» pour le moment. Juste quand j'avais rassemblé assez de courage pour lui demander de venir au cinéma avec moi.

Je me couche et j'enfonce mon visage dans l'oreiller.

— François!

Je me retourne et j'attends Gertrude qui sort de chez elle.

Elle s'avance vers moi sans se presser. Gertrude n'est jamais pressée. Quand on était petits, je l'appelais «Gertrude la tortue» parce que, selon moi, Gertrude c'est un nom de tortue et parce que je la trouvais lente. En fait, elle était plutôt rêveuse. Elle l'est toujours.

Gertrude ressemble sans doute à son père. Mais je ne pourrais pas le jurer; lui, je ne l'ai jamais vu. Louise est bien différente de sa sœur. Elle a le sens pratique; elle est moqueuse et nerveuse comme sa mère. Louise est aussi tellement belle. Pourquoi la beauté est-elle intimidante?

Lorsque Gertrude me rejoint, je me remets en route et on marche côte à côte. D'un geste machinal, elle repousse ses lunettes sur son nez en disant:

— Salut, François! Ça va?

— Mouais. Et toi?

— Fatiguée. J'ai veillé tard. Hier, Louise est sortie. J'ai attendu jusqu'à deux heures du matin. Tu sais, pour juger le baiser.

Je sais, elle a pris l'habitude d'observer les baisers que reçoit sa sœur et de leur attribuer des points.

Elle me jette un regard de côté. Comme je ne fais aucun commentaire, elle continue:

— Il valait à peine un cinq.

— Il valait un gros zéro, ouais! Tu sais qui c'était? Étienne Lamothe! Comprends-tu ça, toi? Louise préfère un Étienne Lamothe à... à...

— À toi, dit-elle doucement. Non, je comprends pas.

On continue à marcher en silence. On a trop souvent abordé le sujet des amours de Louise. Gertrude doit être écœurée de m'entendre me lamenter que sa sœur ne voit en moi que le petit voisin qui lui jetait du sable dans les cheveux.

Tout à coup, Gertrude me touche le bras et dit:

— Ah! mais, François, il y a quelque chose de nouveau, cette année!

Derrière ses lunettes, ses yeux brillent.

— Ah oui! Quoi?

— Stéphanie Boucher!

— Ouais, c'est une nouvelle. Puis?

— Puis tu as dû remarquer qu'elle ne passe pas inaperçue. Ça énerve ma sœur.

— Il faut la comprendre, Louise n'a jamais eu de rivale de son niveau.

— Justement! C'est ce qu'il te manquait jusqu'ici pour attirer l'attention de Louise. Tu peux la rendre jalouse en sortant avec Stéphanie.

— Oublie ça, Gertrude. J'aurai pas plus de succès avec Stéphanie que j'en ai avec Louise. Je ne suis pas leur genre. Elles aiment les grosses brutes. Moi, j'ai l'air trop jeune et trop gentil.

— Où est-ce que tu trouves toutes ces merveilleuses raisons de ne rien essayer? Stéphanie n'est pas Louise...

— Ça, c'est évident!

— Et elle n'a pas encore de «chum» officiel.

— Ça ne tardera pas.

— Ça pourrait être toi.

— Ah ouais! C'est certain! D'abord, il faudrait au moins qu'elle soit dans un de mes cours. Pour que j'aie une raison pas trop stupide de lui parler.

— Tu n'as qu'à trouver un autre sujet de conversation que l'école.

— Même si j'en trouve un, je peux pas lui parler en classe, on n'est jamais dans la même classe!

— Tu n'as qu'à lui parler à la pause entre deux cours.

Je déteste qu'on me dise: «Tu n'as qu'à...» Ce n'est jamais aussi facile que ça.

O

Je sors du cours de français sans avoir rien entendu de ce que le prof a dit. Qui serait capable d'écouter un cours tout en inventant cent façons différentes d'aborder Stéphanie? Stéphanie! Elle est là devant moi, un peu plus loin dans le corridor. Tout à coup, j'ai les mains moites et la gorge sèche. Si on me demandait mon nom, je ne saurais pas quoi répondre.

Pourquoi est-ce que je me sens aussi intimidé? Je ne veux même pas sortir avec cette fille. Elle ne doit servir qu'à rendre Louise jalouse. Mais je n'ai pas envie de me rendre ridicule, même aux yeux d'une fille qui sert d'appât. Et si je n'allais pas lui parler? Rien ne m'y oblige. Je trouverai sûrement un autre moyen de rendre Louise jal... Oups! J'aperçois Gertrude appuyée contre un mur. Elle m'observe. Pas moyen de me défiler. Bon! Courage, François, il faut foncer!

Je prends une profonde inspiration et je m'avance vers Stéphanie en obligeant mon cerveau à ne penser à rien. Ce qui fait qu'en arrivant devant elle, je ne trouve rien à lui dire. Je reste trop longtemps devant elle pour donner l'impression que je ne faisais que passer. Comme je reste muet, elle cesse de parler à Catherine Beaulieu et tourne vers moi un regard interrogateur. Au bout d'un temps infini, je parviens à bredouiller:

— Tu es nouvelle, hein? Je me disais... tu as peut-être... est-ce que tu voudrais qu'on te fasse... que je te fasse faire un tour...

Quelle éloquence! Je ne l'ai même pas saluée. Ça, c'est tout moi, paf! dans le vif du sujet.

Un silence suit ma proposition absolument irrésistible. Lorsqu'elle est remise de son étonnement, Stéphanie se force à me répondre. Un petit sourire moqueur joue sur ses lèvres dont, malgré la panique qui s'est emparée de moi, je remarque le galbe et le velouté. Je dois faire un effort pour entendre ce qu'elle est en train de me dire. En fait, je ne saisis que la fin de sa phrase:

— ... après la dernière période, disons à quatre heures, aux portes nord?

— Heu... Oui! O.K. Seize heures! O.K.

— Bon, alors, bye!

Elle me tourne le dos et s'éloigne dans le corridor en entraînant Catherine avec elle. Ça paraît qu'elle n'a aucune envie de rester une seconde de plus en ma compagnie. Oups! Je ne lui ai même pas dit au revoir.

Du coin de l'œil, je vois Gertrude s'avancer vers moi. Comme ça ne me tente pas de lui raconter la scène lamentable dont je viens d'être l'acteur principal, je m'enfuis bravement.

C'est ne pas tenir compte de sa ténacité. Elle me rattrape au moment où je vais entrer dans la salle de mon prochain cours.

— François!

— Ouais?

— Tu as sûrement quelque chose à me raconter.

— Hé! François! Il te les faut toutes? crie Nicolas Meunier au même moment.

On peut dire que je suis sauvé par la cloche, parce que celui qui vient de crier comme ça, c'est une pauvre cloche. Je fais un grand geste dans sa direction et je dis à Gertrude:

— Écoute, je peux pas te parler, pas ici, pas maintenant.

— Alors, on dîne ensemble?

Elle lance par-dessus son épaule en s'éloignant:

— Je t'attendrai! N'invente pas d'excuses!

O

Effectivement, Gertrude m'attend. Dès que je mets les pieds dans la cafétéria, je l'aperçois. Elle a pourtant choisi des places à une table du fond. Emmanuelle n'est pas avec elle; je devine que Gertrude lui a demandé de nous laisser seuls. Je m'assois à côté d'elle et, avant même d'ouvrir mon sac à lunch, je lui dis:

— Si tu t'attends à une victoire facile, tu seras déçue. Cette fille-là est trop belle pour un gars comme moi. Si tu avais vu son petit sourire moqueur, tu comprendrais que je n'ai aucune chance de sortir avec elle. Pour rendre Louise jalouse, il va falloir trouver autre chose.

Bien sûr, j'ai chuchoté tout ça juste assez fort pour qu'elle m'entende malgré le vacarme qui règne dans la salle. Elle me parle sur le même ton:

— J'étais là, François, je l'ai vu son sourire. Il n'était pas du tout moqueur. C'était un sourire tout à fait amical. Qu'est-ce que tu lui as dit?

— Je lui ai proposé de lui faire faire une visite guidée.

— Super! Et qu'est-ce qu'elle a répondu?

— Elle m'a donné rendez-vous aux portes nord, à seize heures cet après-midi.

— Tu vois que tu as une chance! On n'aurait pas pu espérer une réponse plus positive!

— Ouais, ça peut pas être plus positif... si c'est vrai qu'elle viendra. Elle a peut-être dit ça pour se débarrasser de moi. Je lui ai parlé à peine trente secondes, puis elle m'a planté là et elle est partie avec Catherine. Mais tu as vu tout ça, puisque tu m'espionnais.

— Oui, j'ai vu. Je me suis dit qu'elle était gênée. C'était la première fois qu'elle te parlait.

— Cette fille-là est trop belle pour être gênée.

— Quoi? Pourquoi est-ce qu'une belle fille ne pourrait pas être gênée?

— Parce que la beauté, ça donne du pouvoir. En face d'une belle fille, on se sent tous inférieurs. C'est moi qui étais intimidé.

— Comment tu peux dire ça? réplique Gertrude d'un ton indigné. Toi qui es si beau!... Si tu crois ça, alors tu es obligé d'admettre que, toi aussi, tu as le pouvoir d'intimider.

Ça ne me tente pas de la contredire. Par contre, je déteste les vantards. Pour me donner une contenance, je sors mon sandwich et je commence à manger.

— Une visite guidée de quoi? me demande Gertrude tout à coup.

— Hein? Oh! la visite! Aujourd'hui, par chance, j'ai l'auto de ma mère. Je me disais que j'emmènerais peut-être Stéphanie faire le tour des endroits «hot», tu sais: *Chez Pedro*, le *Dunkin' Donuts*, le *FX*, toutes ces places-là. Qu'est-ce que tu en penses?

— Oui, c'est correct.

— Si elle vient vraiment me rencontrer aux portes.

— Elle viendra.

— En tout cas, je ne l'attendrai pas plus de cinq minutes.

— Elle sera là.

— Comment tu peux en être aussi sûre?

— François, si j'étais une nouvelle et qu'un beau gars comme toi m'invitait, tu peux être sûr que je serais à l'heure au rendez-vous.

Ouais, présenté comme ça, c'est rassurant. Ça paraît impossible que je risque de poireauter pour rien. Mais juste pour être absolument certain, je lui demande:

— Donc, d'après toi, elle sera là, hein?

— Oui. Mon petit doigt me le dit. Et il me dit aussi que Louise vous verra ensemble.

— Je l'espère parce que c'est ça le but de toute l'affaire.

C'est ce que je dis à Gertrude, mais je sais que ce n'est plus tout à fait vrai. Au fond de mon cerveau, une petite curiosité s'est allumée: «Est-ce que ça se pourrait que je plaise à Stéphanie?» Est-ce que ça se pourrait? Même si j'ai l'air jeune et que je n'ai pas des gros muscles de sportif?

○

Gertrude avait raison... encore une fois: lorsque je sors, Stéphanie est près des portes. Mais elle n'est pas seule. Catherine Beaulieu et Julie Deschênes sont assises à ses côtés sur la plus haute marche de l'escalier. Et debout près d'elle, qui est-ce que je vois? Étienne Lamothe! «Hé! Étienne! Il te les faut toutes?» Bon, je m'approche ou je fais demi-tour?

Stéphanie m'aperçoit avant que j'aie pris une décision. Elle me sourit. Et même si je suis moins stressé que tantôt, je ne parviens pas à juger si son sourire est sincère. C'est peut-être un sourire de pure satisfaction parce que je viens de lui donner une preuve de ma docilité. Elle m'a proposé de la rencontrer? Me voici!

«Qu'est-ce que je fais? Qu'est-ce que je fais?»

— Hé! François! Qu'est-ce que t'attends? La pluie? me crie Stéphanie.

Ah, bon! Stéphanie est de l'espèce ricaneuse. Elle me fait signe d'approcher. «Qu'est-ce que je fais?»

Ils me regardent tous les quatre. Je m'avance vers eux.

— Bonjour, la compagnie!

Mon salut est assez vague pour ne pas me compromettre. Si Stéphanie m'a attiré dans un piège pour montrer à ses amis que je suis sensible à son charme et qu'elle obtient de moi tout ce qu'elle veut, j'espère m'en rendre compte assez vite pour m'échapper. Par contre, si elle m'attendait vraiment et que les autres n'étaient là que par hasard, je ne voudrais pas gâcher ma chance.

Stéphanie se lève et commence à descendre l'escalier en me disant:

— Viens! On y va!

Je la suis automatiquement.

Au bas des marches, je la guide vers l'endroit où j'ai stationné l'auto de ma mère. On marche en silence, mais ce n'est pas trop embarrassant. Il y a tellement d'agitation autour de nous.

Tout à coup, mon souhait se réalise: dans un des groupes qu'on croise, j'aperçois Louise... qui nous regarde! Elle nous regarde parce que Gertrude nous pointe du doigt.

Je me tourne vers Stéphanie et je lui dis:

— C'est plus très loin.

J'ai dit n'importe quoi. Tout ce que je veux, c'est que Louise me voie parler à

Stéphanie et sache ainsi que celle-ci m'accompagne vraiment, qu'elle ne marche pas à côté de moi par pur hasard. Stéphanie en fait encore plus que j'en demande: elle me regarde et elle me parle.

«As-tu vu ça, Louise?»

En fait, ce que Stéphanie vient de me dire, c'est:

— Si j'avais su que tu t'es garé si loin, j'aurais pris un taxi pour aller jusque-là.

Ce n'est pas tout à fait un compliment. Est-ce que c'est ma faute s'il ne restait plus une seule place de stationnement près de l'école?

Lorsqu'on s'installe dans la voiture, j'ai presque envie de proposer à Stéphanie de la raccompagner chez elle tout simplement. J'ai atteint mon objectif: Louise nous a vus ensemble. Mais ce n'est pas mon genre de ne pas tenir parole. J'ai promis à Stéphanie de lui faire visiter nos endroits préférés, je le ferai. Et puis je me dis qu'avec un peu de chance, on recroisera Louise à la pizzeria ou au centre commercial. Allons-y!

O

Non, nous ne recroisons pas Louise. Pourtant, j'emmène Stéphanie partout où l'on aurait la chance de la trouver.

Je suis en grande forme. Je crois même que je suis pas mal drôle. En tout cas, Stéphanie rit de certaines de mes blagues. Et elle me pose des questions sur l'école et sur les profs. Elle me parle aussi de son ancienne école et des amis qu'elle a quittés, dont plusieurs de ses «chums» ou «ex-chums». Je lui raconte un peu ce que j'aime dans la vie.

Je parviens même à lui parler de Louise sans y mettre ma ferveur habituelle, me semble-t-il, et sans lui révéler bien sûr le petit complot qu'on a mis au point, Gertrude et moi. Stéphanie n'apprécierait certainement pas. Je n'ai pas du tout envie de la voir en colère. J'ai l'impression qu'elle me réduirait en cendres. Je change de sujet, je lui parle de mes musiciens préférés. Elle aussi, elle aime les Smashing Pumpkins, REM, les Peppers, RadioHead, Alanis Morrissette... Yé! Au moins, on s'entend là-dessus.

Puis, je la ramène chez elle.

— Bon, eh bien, voilà, Stéphanie. Maintenant, quand tu n'auras pas envie de nous voir, tu sauras où il ne faut pas aller.

— Oui, merci du conseil.

— Ça ne veut pas dire de ne pas venir nous voir. Justement, demain, comme c'est vendredi, on va passer la soirée au *Serra Serra*. Je peux venir te chercher pour qu'on y aille ensemble, si tu veux.

— Euh... Pas nécessaire. Je... J'ai des choses à faire, demain, et je ne sais pas combien de temps ça va me prendre. Mais j'irai peut-être faire un tour au *Serra Serra* à un moment donné, pendant la soirée.

— Ah, bon! D'accord. Bye!

J'essaie de ne pas montrer que je suis blessé par ses hésitations. Je ne comprends pas pourquoi elle refuse tout à coup de m'accompagner au *Serra Serra*. Quand on y est passés tout à l'heure, elle m'a dit que l'endroit lui plaisait.

Je rentre chez moi et je déprime. Qu'est-ce qui s'est passé? Pendant une heure, Stéphanie a ri de mes blagues et m'a parlé de sa vie. Puis, quand je lui propose de remettre ça, elle dit non. Pourquoi? Quelle erreur est-ce que j'ai faite? Qu'est-ce que j'ai dit de mal? Qu'est-ce que je n'ai pas dit? Ah! Les filles! Les filles! Les filles! Qui peut les comprendre?

○

Le *Serra Serra* est plein comme tous les vendredis soirs. Je suis là uniquement parce que je n'ai pas trouvé une bonne excuse de ne pas y accompagner Simon et Patrick. Louise est déjà là; Étienne lui colle après. Je refuse de penser à l'effet que ça leur aurait fait de me voir entrer avec Stéphanie. J'ai bien assez mal comme ça!

Alors que je croyais ne pas pouvoir endurer autant de souffrances, je reçois un coup de plus: Stéphanie arrive, me voit et m'évite pour aller rejoindre Catherine et les jumeaux Lacasse. Aaaah!

Pendant une heure environ, je réussis à faire semblant de m'amuser comme un fou. Puis je n'en peux plus. Je regarde Stéphanie qui chatouille Paul Lacasse. Je regarde Louise qui danse avec Étienne. "*We'll crucify the insincere, tonight*", chante Billy Corgan.

○

J'entends deux portières claquer. Je sais ce que ça veut dire: Étienne raccompagne Louise chez elle. Je sais aussi qu'il va bientôt l'embrasser. J'enfonce mon visage dans l'oreiller.

Non, je ne pleure pas. Non, je ne rage pas. Je réfléchis.

Stéphanie et Louise, c'est le même genre de fille: ni douce ni gentille. Mais elles ont le droit d'être ce qu'elles sont. Le problème, ce n'est pas elles, c'est moi. Pourquoi est-ce qu'elles me plaisent? Je me plains qu'elles soient attirées par des stéréotypes mais, moi, je fais pareil!

Table des matières

Collection Conquêtes
Directrice: Susanne Julien

1. **Aller retour,** de Yves Beauchesne et David Schinkel, prix Cécile-Rouleau de l'ACELF 1986, prix Alvine-Bélisle 1987
2. **La vie est une bande dessinée,** nouvelles de Denis Côté
3. **La cavernale,** de Marie-Andrée Warnant-Côté
4. **Un été sur le Richelieu,** de Robert Soulières
5. **L'anneau du Guépard,** nouvelles de Yves Beauchesne et David Schinkel
6. **Ciel d'Afrique et pattes de gazelle,** de Robert Soulières
7. **L'affaire Léandre et autres nouvelles policières,** de Denis Côté, Paul de Grosbois, Réjean Plamondon, Daniel Sernine et Robert Soulières
8. **Flash sur un destin,** de Marie-Andrée Clermont en collaboration avec un groupe d'élèves de l'école Antoine-Brossard
9. **Casse-tête chinois,** de Robert Soulières, Prix du Conseil des Arts 1985
10. **Châteaux de sable,** de Cécile Gagnon
11. **Jour blanc,** de Marie-Andrée Clermont et Frances Morgan
12. **Le visiteur du soir,** de Robert Soulières, prix Alvine-Bélisle 1981
13. **Des mots pour rêver,** anthologie de poètes des Écrits des Forges présentée par Louise Blouin
14. **Le don,** de Yves Beauchesne et David Schinkel, Prix du Gouverneur général 1987, Certificat d'honneur de l'Union internationale pour les livres pour la jeunesse (IBBY)
15. **Le secret de l'île Beausoleil,** de Daniel Marchildon, prix Cécile-Rouleau de l'ACELF 1988

16. **Laurence,** de Yves E. Arnau
17. **Gudrid, la voyageuse,** de Susanne Julien
18. **Zoé entre deux eaux,** de Claire Daignault
19. **Enfants de la Rébellion,** de Susanne Julien, prix Cécile-Rouleau de l'ACELF 1988
20. **Comme un lièvre pris au piège,** de Donald Alarie
21. **Merveilles au pays d'Alice,** de Clément Fontaine
22. **Les voiles de l'aventure,** de André Vandal
23. **Taxi en cavale,** de Louis Émond
24. **La bouteille vide,** de Daniel Laverdure
25. **La vie en roux de Rémi Rioux,** de Claire Daignault
26. **Ève Dupuis 16 ans et demi,** de Josiane Héroux
27. **Pelouses blues,** de Roger Poupart
28. **En détresse à New York,** de André Lebugle
29. **Drôle d'Halloween,** nouvelles de Clément Fontaine
30. **Du jambon d'hippopotame,** de Jean-François Somain
31. **Drames de cœur pour un 2 de pique,** de Nando Michaud
32. **Meurtre à distance,** de Susanne Julien
33. **Le cadeau,** de Daniel Laverdure
34. **Double vie,** de Claire Daignault
35. **Un si bel enfer,** de Louis Émond
36. **Je viens du futur,** nouvelles de Denis Côté
37. **Le souffle du poème,** une anthologie de poètes du Noroît présentée par Hélène Dorion
38. **Le secret le mieux gardé,** de Jean-François Somain
39. **Le cercle violet,** de Daniel Sernine, Prix du Conseil des Arts 1984
40. **Le 2 de pique met le paquet,** de Nando Michaud
41. **Le silence des maux,** de Marie-Andrée Clermont en collaboration avec un groupe d'élèves de 5e secondaire de l'école Antoine-Brossard, mention spéciale de l'Office des communications sociales 1995

42. **Un été western,** de Roger Poupart
43. **De Villon à Vigneault,** anthologie de poésie présentée par Louise Blouin
44. **La Guéguenille,** nouvelles de Louis Émond
45. **L'invité du hasard,** de Claire Daignault
46. **La cavernale, dix ans après,** de Marie-Andrée Warnant-Côté
47. **Le 2 de pique perd la carte,** de Nando Michaud
48. **Arianne, mère porteuse,** de Michel Lavoie
49. **La traversée de la nuit,** de Jean-François Somain
50. **Voyages dans l'ombre,** nouvelles de André Lebugle
51. **Trois séjours en sombres territoires,** nouvelles de Louis Émond
52. **L'Ankou ou l'ouvrier de la mort,** de Daniel Mativat
53. **Mon amie d'en France,** de Nando Michaud
54. **Tout commença par la mort d'un chat,** de Claire Daignault
55. **Les soirs de dérive,** de Michel Lavoie
56. **La Pénombre Jaune,** de Denis Côté
57. **Une voix troublante,** de Susanne Julien
58. **Treize pas vers l'inconnu,** nouvelles fantastiques de Stanley Péan
59. **Enfin libre!** de Éric Gagnon
60. **Le fantôme de ma mère,** de Margaret Buffie, traduit de l'anglais par Martine Gagnon
61. **Clair-de-lune,** de Michael Carroll, traduit de l'anglais par Michelle Tisseyre
62. **C'est promis! Inch'Allah!,** de Jacques Plante.
63. **Entre voisins,** collectif de nouvelles
64. **Les Zéros du Vietnam,** de Simon Foster